河出文庫

世界を読み解く科学本

科学者25人の100冊

山本貴光 編

河出書房新社

はじめに

本を通じたサイエンスの楽しみ

本書はサイエンス、自然科学に関する本を案内するブックガイドです。

大きく二つの狙いがあります。まとめて言えば、本を通じてサイエンスを楽しむきっかけをご提供することです。もう少しだけご説明しましょう。

一つは、読書や本探しのお供としてお勧めのサイエンスブックをご紹介すること。そうはいっても厖大(ぼうだい)な本の山を前にして、どれから手をつけたらいいのか、選ぶのも簡単ではありません。ネットの検索で手軽にいろんなことを調べられる現在ですが、本を選ぼうと思ったら、そのテーマに関する知識や読書経験が必要だったりします。例えば、地球物理学についてあまり知らない状態で本屋や図書館に行っても、たくさんある本からどれを読めばいいかはなかなか分からないものです。そこでこの本では、サイエンスに関わる各方面の専門家たちにお願いして、とっておきの本を紹介してもらいました。これはまさにブックガイドの機能ですね。

もう一つは、そうした本の紹介を通じて、サイエンスそのものの楽しさに触れるきっかけになればという希望もあります。本書に登場するみなさんの話に触れて、「へえ、そんな研究があるんだ」とか「そんな問いについて考えている人がいるのか」と驚いてもらえたら、さらには「もっと知りたい」と感じて、紹介している本やその先の知識にも手や足を延ばしてくださったら望外のよろこびです。

本からサイエンスのほうへ

そのつもりで科学者や芸術家などの伝記を読んでみると、彼や彼女たちがある本との出会いによってその後の人生の進路を選んだり方向を変えたりした様子が記されていることがあります。なにしろ読書とは、基本的にとても個人的な営みだけに、他人からはなかなか分かりづらいのですが、本は時としてそういう力を発揮します。

ここでは一例をご紹介してみましょう。理論物理学の分野でご活躍の大栗博司さんの本『探究する精神――職業としての基礎科学』(幻冬舎新書、二〇二一)に、大栗さんが小学生のころに読んだ本の話が書かれています。書店に入り浸っていろいろな本を読んだようですが、中でも『なぜなぜ理科学習漫画』や『子どもの伝記全集』、講談社ブルーバックス、『万有百科大事典』などを愛読したとのこと。そうした読書遍歴を通じて大栗さんは湯川秀樹の伝記を読み、理論物理学という学問があることを知り、大きくなったら理論物理学者になりたいと思ったそうです。本によって憧れる気持ちを焚きつけられたばかりか、まさに理論物理学者になったわけです。

『探究する精神』は、大栗さんが理論物理学を職業にするまでの道のりや折々に考えたこと、あるいは科学とはなにか、社会との関係はどうかといったことを綴(つづ)ったとても興味深い半生記です。どんな勉強をしたのか、どんな仕事なのかという他ではなかなか知ることのできない記録としても貴重です。また、同時に同書自体が一種のブックガイドにもなっています。読むと、そこには科学や数学に関するものだけでなく、哲学書をはじめとするたくさんの人文・社会科学の本も登場していることに気づくでしょう。これらの本たちが、大栗さんのものの見方や知識、興味関心を培ってきた様子を窺えます。ときどき、高校や大学で理系を選択したのだから、本を読むことから解放されるはずと思い込んでいる人を見かけますが、それがとんだ勘違いであることは、この大栗さんの例や本書全体からもお分かりいただけると思います。

と、ついここでもブックガイドをしてしまいました。

本書の構成

では、これはどんな本なのか。詳しくは目次をご覧いただくとして、もう少しご案内しましょう。

一口にサイエンスといっても、現在ではとても多様な専門領域に分かれています。それこそ想像もつかないほどの広がりをもつ宇宙から、その宇宙をつくる元となっている素粒子まで、あるいは個々の天体や地球で生じるさまざまな現象、私たち人間を含む動植物やその生態など、まさに自然の森羅万象について、それがどのような現象なのかを研究するのがサイエンスです。ついでながらサイエンスという英語の語源は、ラテン語のスキエンティアでした。これは「知ること」「知識」、あるいは「学問」というほどの意味でした。世界について知ろうとする営みという意味が、サイエンスの根底にあります。

その際、万物のうち何を対象に選ぶかによって専門分野が分かれています。高校までに出会う理科系の科目でも物理、化学、生物学、あるいはそれらの科目で用いられる数学やコンピュータサイエンスなど、いくつかの分野がありますね。また、『日経サイエンス』や『Newton』、『nature』や『Science』といった科学雑誌の目次を眺めてみると、毎号実に多様なテーマがページを賑わせているのが目に入るでしょう。

これはサイエンスだけでなく学問一般に言えることですが、細かな専門領域に分かれることで、いってみれば手分けして探究を深められるメリットがあります。他方で、細分化が進むと全体像を見通しづらくなったりもします。その結果、分野がちがえば専門家同士でも言葉が通じないことはしばしばです。専門家ならぬ立場からすればなおのこと。

では、そんな多様で広いサイエンスの世界を眺めたり近づいたりするにはどうしたらよいでしょうか。一つには、大まかでもよいので、まずは全体を大きく見晴らしてみるという手があります。例えば、馴染みのない土地を訪れるとき、まずは概要が分かるように適度に省略された地図で全体のイメージを摑んで、あとは歩き回りながら細部を具体的に見てみる。そうして具体的なものを見たあとでまた全体地図に戻ると、自分が歩いた場所も位置づけやすくなったりします。

それと同じように、この本がサイエンスという土地を眺め歩いてみる手がかりになれば、と考えて構成してみました。といっても、もちろんこの本だけでサイエンスの全領域を網羅できるわけではありません。頭のなかに大きな地図を描いて探検してゆく際の手がかりになるようなポイントを選んであります。

本書の全体を大きく三つのパートに分けています。CHAPTER Iの「宇宙を探り、世界を知る」では、宇宙や地球といった大きな対象や、生物進化のように長い時間に関わる現象に注目します。また、問いの立て方、実験や理論のもつ意味といったサイエンスの基本についても考えます。

また、CHAPTER IIでは「生命のふしぎ、心の謎」と題して生物や人間、その体や心にスポットを当てています。生きて変化する多様なものをどうやって研究できるのか、分類とはなにか、そもそも心とはなんだろうといった問いがみなさんをお待ちしています。

そして最後のCHAPTER III「未来を映す」では、サイエンスそのものから、サイエンスに隣接する技術や医療、SF小説や科学的な思考などについて視野を拡げています。これをまとめるなら、サイエンスと私たちや社会の関わりを考える、ということになりましょうか。

これはゆるやかな分類です。それぞれのトピックは、他のトピックとあちこちで関連しあったり重なったりもしています。読みながらそうしたリンクを発見したら、本の余白にメモしてみてもよいですね。

そしてさらに、ポピュラーサイエンス書や絵本や新書、書店の棚や科学館などの関連トピック、サイエンティストへのインタヴューなどもご用意しています。

というわけで、最初から順に読んでもよいですし、目次を頼りに興味の趣くままにあちこち見て歩くのもご随意にどうぞ。

ネットの時代に本を読む？

さて、最後にもう一つだけ述べて、この導入を終えることにしましょう。

「この時代に読書？」という疑問をお持ちの方もいるかもしれません。なにしろネットにはいろいろなテーマについて説明したページもありますし、テキストだけでなく、YouTubeをはじめとする動画もあります。一冊の本を何時間もかけて読むより、同じ内容を五分の動画で理解できるなら、断然動画のほうがいいじゃない、と思う人もいるでしょう（もっともそう考える人は、この本を手にとってここまで読み進めていないかもしれません……）。

私も以前、勤めていたゲーム会社で同僚が「これからは本を読む人なんていなくなりますよ。なんでも動画で学べちゃうんだから」と言うのを何度か耳にしたことがあります。気持ちは分かります。見ていれば勝手に進んでいく動画に比べると、本では読者は自分でページをめくり、自分で目を動かし、自分で文字を読み解いて、自分で考える必要があります。この時点で手間のかかり方もだいぶ違いますね。とても面倒です。

もし数時間あるいは数十時間をかけて一冊の本を読んで得られるのと同じ知識や理解が、五分や十分の楽しい動画を見て得られるなら、こんなにうれしく楽ちんなことはありません。ただ、いまのところ残念ながらそうもいかないようです。なぜそう考えられるのか。理由を二つほど述べてみます。

第一に、五分の動画には五分の動画で話され示されている以上の内容はありません。などと言えば当たり前のようですが、こんな喩(たと)えで考えてみてはいかがでしょう。例えば、百の作品が並べられている美術展があるとします。他方では、この会場で撮影して五分に編集した映像があるとしましょう。この動画を見ることは、二、三時間かけて美術館のなかを歩いたり立ち止まったりしながら眺める代わりになりませんね。話を分かりやすくするために五分としましたが、これが三〇分でも一時間の動画でも同様です。

同じように考えると、本というものは数万から数十万の文字を並べて書かれています。

なかにはスカスカで、もっと短く書けそうな本もありますが、それは置いておきましょう。それだけの文字を費やさなければ表せないことを記した本は、多数の要素が複雑に絡みあったプログラムのようなものです。それを目から頭に入れ、読み解いて理解するには、それなりの時間を必要とします。これは五分の動画を見るのとは別の経験です。

第二はいま述べたことに関わります。どうやら私たちの体は、ものを覚えたり身につけたりするのに時間がかかるようにできているようです。これは、異言語やプログラミング、あるいは楽器演奏や調理その他、なにかを習得する場面を思い浮かべればお分かりいただけると思います。経験の少ない知識や行為を身につけようと思ったら、時間をかけて試行錯誤を繰り返すほかはありません。そしてこれは簡単にショートカットできるものでもなくて、自分の体に教え込む他にないわけです。

だからこそ世の中には「そういう苦労をしなくてもこれこれが身につきますよ」という教材や動画を商売にする人が後を絶たないのでしょう。人の気持ちを逆手に取っているわけですね。もしそれが本当なら、人類は全体としてももうちょっといろいろな技能を身につけた人たちで溢れているはずですが、どうやらそうはなっていないようです。あるテーマについて書かれた本を読むのは、それだけ込み入ったものを時間をかけて自分の体に通してみる経験でもあるのです。もう少し言えば、自分にとって未知のものに触れてそれを理解するのは、自分を変化させることでもあります。それは時間を要することです。

といっても動画より本のほうが偉いと言いたいわけではありません。単に両者はちがう働きをするものなので、用途に応じて使い分けたほうがよいという話をしたいのでした。例えばサイエンス方面なら、実験の内容や面白さを伝えたり、動物や昆虫の生態を観察したりするのに動画はとても便利な手段です。他方で、込み入った量子論のしくみを理解したり、進化論の理論やその歴史を検討したい場合などは、自分のペースでじっくり読んだり考えたり演習問題を解いたりできる本のほうが便利ですね。

要するに動画が得意なことは動画で、本が得意なことは本でというわけです。こんなことを書いている私も、友人の吉川浩満くんと本を書くだけでなく、YouTubeのチャンネルで動画を配信したりしています。作り手の目から見ても、本と動画で伝えられることには違いがあります。

というわけで、ちょっと余計なことかもしれませんが、動画というメディアの便利さが広く知れ渡った昨今だけに、なぜ本なのかということを述べてみました。

分からなさを楽しむ

さて、いよいよこのあとは本文です。その前に本書をいっそう楽しむためのコツをひとつ。

サイエンスの世界を見て歩く際に肝心なことは「それってどういうこと？」という問いを楽しむ姿勢。言い換えると、なにかが分からない状態、分からなさを楽しむのがなによりです。なかなか攻略できないゲームを楽しむのとちょっと似ています。急がずゆっくり時間をかけて、本に流れる時間を楽しんでもらえたら幸いです。では、どこからなりともお楽しみください。

目次

CHAPTER I　宇宙を探り、世界を知る

CHAPTER

II 生命のふしぎ、心の謎

CHAPTER III 未来を映す

＊本書で取り上げた書籍は、現在品切・絶版のものも含みます。

世界を読み解く科学本

科学者25人の１００冊

CHAPTER

I

宇宙を探り、世界を知る

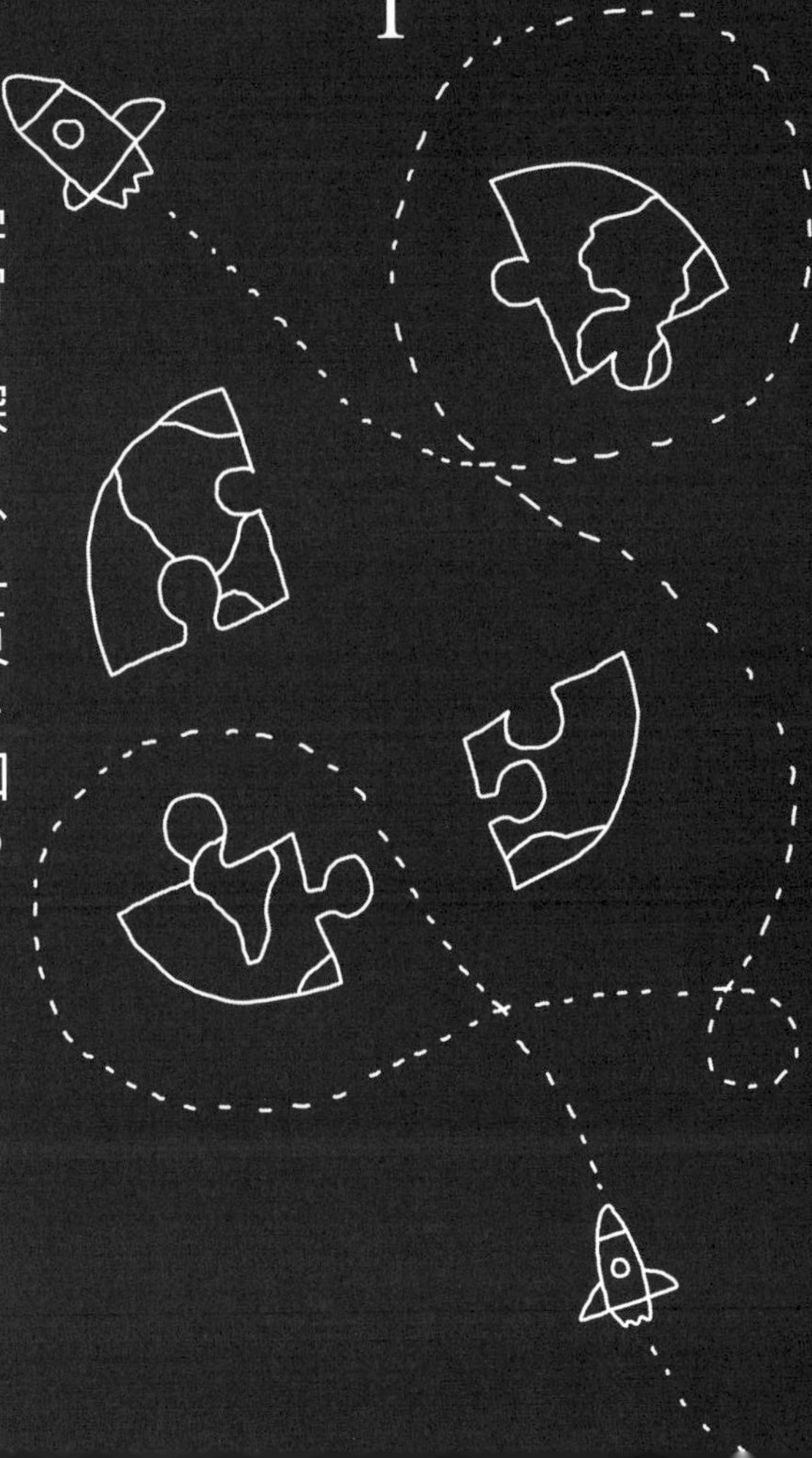

1 この世界の究極の姿は何か？

選者……多田 将（高エネルギー加速器研究機構 素粒子原子核研究所准教授）

1冊目

宇宙を解く 壮大な10の実験
アニル・アナンサスワーミー著 松浦俊輔訳
河出書房新社、2010年刊

自然界の仕組みを解明する自然科学は、取り扱う対象のスケイルによって分野が分かれているが、この世の中で、最も巨大なものを取り扱うのが宇宙物理学であり、最も微小なものを取り扱うのが素粒子物理学である。この二つの分野は、両極端でありながらも、どちらも〝この世界の究極の姿は何か？〟を追究した学問であり、また、面白いことに、互いに密接に関わり合った学問でもある。推薦者は素粒子物理学者ではあるが、その学問を究めることが宇宙誕生の謎を解明することにつながることから、宇宙物理学と無縁ではない。

宇宙物理学は、我々の生活とは文字通り遠く離れた世界を対象とした学問でありながら、有り体に言えば我々の生活に何ら役に立たない学問でありながら、人類が学ぶということを憶えたその昔から、常に人類の興味を喚起して止まない学問でもあった。好奇心が物事を探究しようという根源的な心の動きであるとするならば、〝この世界の果てはどうなっているのか？〟という疑問は、究極の好奇心とも言うべきものであろう。人類が二本足で立ち上がり、重い頭を持ち上げ、空を見上げたその瞬間から、その疑問はずっと人類の究極の好奇心たり得たのであろう。

しかし、この疑問の探究は、一筋縄では行かない。何せ世界は広すぎるのだ。地球上の謎であれば、実際にそこに行ってその目で確認して来ることも可能だが、宇宙はそうは行かない。この科学技術の発達した現代に於いても、地球の重力圏を抜け出し、本当の意味での宇宙へと行くことが出来たのは、僅かに、アポロ計画の21人でしかない。それにしたところで、地球の衛星まで、宇宙全体の大きさの僅か1／10，000，000，000，000，000，000でしかない。この調子だと、宇宙の深淵まで辿り着くには、気の遠くなるような時間が必要であり、それまでに人類は滅んでしまうだろう。

ところが人類は、自らが宇宙に飛び出すその日まで、無駄に日々を費やしたりなどしない。この地球上に貼りついたまま、さまざまな知恵と工夫で、宇宙を探索して来たのだ。

我々が今、４５０億光年先の宇宙の果てや、１４０億年前の宇宙誕生の瞬間にまでも想いを馳せることが出来るのは、地面に這いつくばったままで、ありとあらゆる手段を駆使して、宇宙を観測して来た、その偉大な研究の結果なのである。

本書『宇宙を解く 壮大な10の実験』は、そのような地球上から宇宙を探索する試みのうち、10箇所の実験（観測）施設について紹介したものである。これらの施設は、非常に微弱な信号を捕らえる実験を行っているため、雑音を可能な限り低減すべく、秘境とも言うべき極限の地に設置されていることが多い。それらを訪れる本書は、秘境探検記のようですらある。本書が面白いのは、実験施設そのものにスポットライトを当て、ドキュメンタリー風に紹介している点だ。

宇宙や素粒子について述べた書籍は、その多くは理論家が著わしたもので、それだけに系統立てて勉強するにはよいが、いい意味でも悪い意味でも〝教科書臭く〟なってしまっている。物理学の道に進まなかった人たちが、別の世界に生きていて、ふと、物理学に興味を持ち、何らかの本を読んでみたいと思ったとき、教科書を読んでみたいものだろうか。

それに対し、本書は、まるでディスカバリーチャンネルのようなドキュメント番組を観ているかのごとく、世界中の実験施設に〝連れて行って〟くれる。そこで主役を務めるのは、説教臭い理論体系ではなく、あくまでも壮大な実験施設そのものだ（理論体系は附録として巻末に添えてある——あくまで、〝おまけ〟なのだ！）。推薦者は、やはり同様の巨大実験施設に勤めることから、多くの見学者の方々を御案内する機会に恵まれているが、その方々の御相手をしてきて判ったことは、見学者のほとんどは、その実験装置によって解明される物理よりも、巨大で未来的な実験装置そのものに魅力を感じて訪れて下さった方々である、ということだ。これらの実験装置は、勿論見た目など考慮せず、ただひたすらに実験成果を出すための機能を追求してつくり上げられたものである。にもかかわらず、訪れる方々は、そこに独特の機能美を見出し、我々にとっては意外なことに、外観の美しさを賞賛して下さるのだ。

本書で紹介される実験施設も、そのどれもが、あくまで目的の実験成果を出すためにつくり上げられたものだ。しかし、その壮大さ、雄大さ、そして機能美が、見る者を魅了して止まないのも、また事実である。そこには、感覚的な美しさだけでなく、宇宙を探索するために、よくもまぁこんなものをつくり上げたものだという、呆れのような感嘆の気持ちが込められているのではなかろうか。

科学的な現象として認められるには、再現性のある実験と、そのメカニズムを説明する理論とが必要である。理論と実験は両輪となって人類の科学を歴史的に支えてきたが、簡単に実験出来る現象はあらかた実証されてしまったために、現在では、実証が極めて困難な、壮大な規模の（即ち膨大な費用のかかる）実験を必要とする事象が、実証待ちの列で待機している。

理論家はオフィスに座って日々壮大な夢想を繰り広げればよいかも知れないが、それを実証する実験を考案し、それを実現する実験施設を建設し、それを使って成果を上げる実験屋の努力は、それはもう大変なものである。何年もの年月と、莫大な費用をかけて出した結果は、理論体系のほんの一部を実証したに過ぎないのである。実験（或いは観測）によって実証されなければ、理論は空論でしかないわけで、そういう意味で理論家にとっても実験は欠かせない存在であるが、それだけでなく、思ってもみなかった実験（観測）結果によって、新たな理論が考え出されることもある。暗黒物質や暗黒エネルギーがまさにそれである。観測結果として、それがあることが決定的である。では何故それがあるのか、その理由を必死で考えよう、というわけだ。

このように、理論と実験は常に両輪として稼働する必要があるが、これまで書籍等で紹介されて来たものは理論先行であり、そういう意味で実験に光を当てた本書は、貴重な一冊と言える。人類は、地上に這いつくばりながら必死になって努力した結果、宇宙の究極の姿を解明するところにまで辿り着いた。しかし、こうして得た宇宙像は、人類が本当の意味で宇宙に出て、従来とは違った方法で観測を始めた瞬間に、全く異なる解釈を要求されるかも知れない。人類の歴史は、実験や観測の精度が上がった途端に、新事実が発見され、それを説明する新理論が生み出される、ということを繰り返している。しかし、断じて言うが、これは、人類の愚かさを顕わしているのではない。むしろ、科学技術が進歩するのに合わせて、次々と真実を追究する新たな方法を生み出す、それは人類の偉大さそのものである。

人類が宇宙へと歩み出したそのときには、そこで、もっと壮大な実験を繰り広げてくれるに違いない。

2冊目

すごい実験
多田将著
中公文庫、２０２０年刊

宇宙物理学がこの世で最も大きなものを究める学問であるとするならば、その対極を成すものは素粒子物理学、この世で最も小さなものを究める学問である。宇宙が巨大過ぎてその実像を直接には見ることが出来ないのと全く逆に、素粒子はあまりに小さくて直接見ることは出来ない。しかし、この世の全てのものがこの素粒子から出来ている以上、人類が必ず解明しなければならない世界でもある。

これまでに素粒子物理学について書かれた書籍は数多くあったが、正直、どれも小難しいものが多かった。それは、もともと素粒子物理学自体がその名の通り究極の学問であったこともあろうが、最大の理由は、エリートコースを歩んで来られた偉い先生方ばかりが筆を執られてきたからではないかと思う。つまり物理学を理解出来ないということが、理解出来ない人が、書いて来たからなのだ。そういう意味で、とても優秀とは言えないこの推薦者自身が書いた本書は、少なくとも〝難しいことは理解出来ない〟という人と同じ立場に立って書かれたと、自信をもって言える。物理学をよく理解出来る方ではなく、これまで素粒子物理学の解説本に挫折した人にこそ、本書を手にして頂きたい。またこの手の本は、理論家の先生方が書かれたものが圧倒的で、それだけに〝教科書のような〟つくりが多いのだが、著者は実験物理学者であることから、本書はあくまでも実験の側面から書かれたものであって、他に類を見ない内容に仕上がっていると自負する。

3冊目

すごい宇宙講義

多田将著
中公文庫、2020年刊

本書が取り扱う宇宙物理学は、これまであまりに多く取り上げられてきたテーマでもある。本書が従来の書と異なる特徴があるとすれば、それは、著者が、宇宙物理学者ではなく素粒子物理学者であるということと、理論家ではなく実験屋であるということである。

現在、人類は、非常に完成され洗練された宇宙創世のシナリオを手にしている。このシナリオを、あくまで体系的に、あたかも神がつくった完璧な筋書きのように解説する、それは理論家の仕事である。しかし、人類は、数多の試行錯誤、失敗と間違いだらけの実験や観測を積み上げることで、ようやくこのシナリオを手にしたのである。実験屋である著者は、むしろそのことにスポットライトを浴びせ、〝宇宙がどうなっているか〟よりもむしろ、〝どうして人類はそのことを知り得たか〟について語ったつもりである。

今後、より高度な技術を用いた高精度な実験や観測によって、〝宇宙の姿〟は次々と書き換えられるであろう。そのとき、完成した結果だけしか見ることが出来なければ、それまでの宇宙像は無価値に映るかも知れない。だが、〝どうしてそれを知り得たか〟という過程に想いを馳せることが出来たならば、それまでの努力は決して無駄ではなく、それどころか、それらの積み重ねがあったからこそ、現在の宇宙像へと辿り着くことが出来たのだ、ということを知ることになろう。

ただ・しょう
1970年、大阪府生まれ。京都大学大学院理学研究科にて、博士課程修了、理学博士。京都大学化学研究所非常勤講師を経て、高エネルギー加速器研究機構着任。現在、同機構准教授。同機構と日本原子力研究開発機構との共同実験施設であるJ－PARCセンターにて、建設より携わったニュートリノ実験施設に於いてニュートリノ振動実験（T2K実験）を行っている。専門は素粒子物理学（実験）。

2 人はなぜ宇宙を探るのか？

選者……福井康雄（名古屋大学名誉教授）

1冊目

宇宙100の謎
福井康雄監修
角川ソフィア文庫、2011年刊

宇宙は138億年前にビッグバンによって始まり、多くの銀河と星々が生まれた。星にも寿命があり、やがて終末を迎え、次の世代の星に交代する。100億年規模の壮大な輪廻（りんね）が繰り広げられる。「宇宙の起源」という大きな未解明の謎を始めとして、天文学者にとって宇宙に関する謎、疑問はつきることなく湧いてくる。その謎の一つ一つに真剣に向き合うことが、研究者に求められる。

ここにあげた『宇宙100の謎』は、一般の方から寄せられた謎を精選し、専門家が簡潔に回答した書籍である。天文学者には思いつかない意外な視点があふれる。宇宙に強い関心を持っていなかった方々にも、手にとってほしい一冊である。

「星はどうやってできたの？」

同書の中の一問、「星はどうやってできたの」を考えよう。

星がどのように生まれるかは、半世紀前までは分かっていなかった。観測が発達したおかげで、人類は今、星をつくるもとになる水素を主成分とするガス雲を観測することができる。ガス雲は光では見えないが、ガスが放つ電波で直接観測できる。このガス雲の中で、ガスは自身の重力によって圧縮されてさらに濃くなり、星が生まれることが分かった。これらの若い星はまわりにガスと塵の円盤を持ち、円盤の中では地球のような惑星がつくられる。中心に太陽に相当する主星があり、惑星が生まれた部分では円盤の物質が惑星に集中するために、黒いリング状のスジができる（次ページ図1）。円盤の形は、ガス雲のわずかな回転運動がもとになって生まれる宇宙の妙である。

私達にとっては大きな太陽も、星の中では軽い方である。太陽のような軽い星が宇宙の星の大部分を占める。46億年前に起こった太陽系誕生の様子を観測することはできないが、太陽系の周りには生まれたての星々がたくさんある。これらの星々の観測によって星形成の理論が確かめられた。半世紀前まではほとんど空想の世界に近かった太陽系誕生の仕組みが解明されたのは、今から20年ほど前のことである。

さらなる謎「巨大星の誕生」

一つの謎が解けると、新たな謎が現れる。次の難問が「巨大星の形成の仕組み」であった。太陽の100倍という質量の星は、数は少ないが現に観測されている。重い星「巨大星」は明るい星である。その明るさは太陽の100万倍以上にもなる。この強烈な明るさが、星の誕生を難しくする。光の圧力のために周りのガスが吹き飛ばされ、ガスを圧縮することができなくなる。理論によると太陽の10倍ぐらいの重さの星まではなんとかつくれるが、それ以上に重い星はうまくできない。やがて、「圧縮されるガス量を一気に100倍以上に増やすことができれば、光の圧力に打ち勝って巨大星をつくることができる」ことは分かった。しかし、どのようにすればガス量を増やせるかは、大きな謎だった。

２００９年、この難問を解くきっかけがもたらされた。巨大星が多数存在する星団が、二つの「ガス雲の衝突」によって生まれていることが、名古屋大学グループによる広い範囲にわたるガス雲観測によって発見

図１　惑星系の誕生
©ALMA（ESO/NAOJ/NRAO）

されたのである。図2に示したように、巨大星を30個含むこの巨大星団は、速度が大きく異なる二つのガス雲が交差する部分に生まれている。２００万年ほど前に二つのガス雲が高速で衝突し、ガス雲の境界が強く圧縮された。この圧縮のおかげで、ふつうには起こらない大きなガスの集中と巨大星の誕生が可能になったと考えられる。

ガス雲の衝突が巨大星をつくる

このような衝突説は、２００９年以前にはほとんど議論されていなかった。太陽系の形成理論では、一個のガス雲中で自分自身の重力でガスが静かに集まる。全ての天文学者は、巨大星の形成もその延長線上で考えていた。

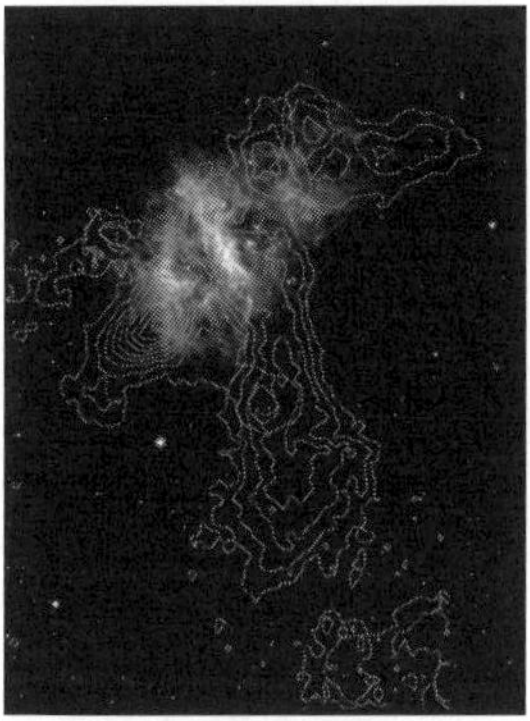

図２　巨大星団と衝突するガス雲。赤外線星雲の中心の点が巨大星の星団。線描は二つのガス雲を示す。

二体衝突は一見突飛な考えであるが、常識を破る有望なアイデアだ。しかし、一例だけでは一般性がない。たまたまこの一例だけがそうなっている、とも考えられる。研究で大切なのは、衝突の観測例を増やすこと。衝突が頻繁におきており、巨大星形成の仕組みとして一般的であることを示す必要があった。

その後の名古屋大学グループの研究によって衝突するガス雲の例は数十例をこえた（2015年時点）。巨大星の形成が衝突によることが急速に認識されつつある。衝突で高速に集められた大質量のガスが巨大星をつくる。近年の観測研究によって巨大星形成の謎がようやく今、解明できたのである。さらに最近、天の川のお隣の銀河「マゼラン雲」でもフィラメント状のガス雲が衝突して巨大星が生まれていることが見事にとらえられた。他の多くの銀河の巨大星形成についても、衝突説が適用できる。

宇宙の初期にも巨大星が誕生していたのではないか、と予想される。理論によると、ビッグバン後数億年たったころに宇宙で初めての星が生まれたと推定される。宇宙最初の星はまだ観測されていないが、ガス雲衝突による巨大星形成は、宇宙初期の「宇宙再電離」を引き起こすこともできそうだ。宇宙研究の面白さは、数百、数千光年の「近く」を見て130億光年の彼方を見抜く醍醐味である。

巨大星は「生命の起源」にも関係

巨大星は生命の誕生にも深く関係する。宇宙の基本的な元素は水素である。しかし水素だけでは生命はできない。生命体には、様々な重い元素が含まれる。鉄、リン、カルシウムなどの重い元素がないと、人間の体はできない。これらの重い元素のもとをたどっていくと、巨大星の爆発「超新星」にたどりつく。巨大星が進化すると最後に大爆発する。この爆発の強烈なエネルギーで重元素が合成され、宇宙空間にまき散らされる。飛び散った物質はガス雲によく混ざり込む。ガス雲中には超新星爆発でできた重元素が豊富に含まれ、それが次の世代の星の一部になる。いまから46億年前に生まれた太陽系にも多くの重元素が含まれていた。それが地球をつくり、生命の原料になった。

「常識」に囚(とら)われない思考の大切さ

衝突という「常識に囚われない観点」が、専門的な宇宙研究でも大切であった。専門的な論文にも、色々と限界がある。誤った既成概念から自由であることは難しく、専門性の「洪水」の中で素朴で重要な発想が見失われてしまうことが少なくない。研究も人間の営みであることに変わりはない。常に前進を続けるが、完成することはない。

巨大星の誕生についても、太陽のような小さい星の形成の「常識」が大きな壁であった。ここでの「常識」は、「巨大星は巨大なガス雲の塊から生まれる」、という一見「まっとうな」考えであった。巨大星の形成にはガス雲衝突が必要である。衝突がガスを一気にかき集め、巨大なガス塊をつくることなく、直接巨大星をつくるのである。この発想の転換を可能にしたのは、偏りなく宇宙を広く見た観測と、先入観に囚われない思考である。

世の中は、「まっとうな」考えが通りやすい。しかし、まっとうな考えを積み重ねた結果、とんでもない間違いに至ることも少なくない。異端の考えはすぐには受け入れられないが、真実はしばしば異端にあった。ガリレオの異端審問を始めとする歴史の示すとおりである。

2冊目

宇宙と星

畑中武夫著
岩波新書、1956年刊

本格的な宇宙研究が日本で息づいたのは、20世紀の半ばである。畑中武夫は、そのころ大活躍した草分けの一人であるが、49歳の若さで急逝した。現在の国立天文台に電波天文学のグループをつくり、日本の天文学の発展を力強く引っ張った功績は大きい。本書は畑中が一般向けに書いた名著である。

感激をよぶ論文に出会うことは多くはない。そのような論文は、本当に世界で初めての課題に取り組んだものである。その問題意識は明確で分かりやすく、瑞々しい。2番目、3番目に書かれた論文は、どうしても瑞々しさに欠け、なぜその論文が必要なのかが伝わってこないことが多い。『宇宙と星』は、宇宙の解説書のほとんどない頃に書かれた瑞々しい一冊である。

本書は、20世紀半ばの国際学界の雰囲気を伝えている点でも興味深い。ビッグバン宇宙論は当時まだ新しく、例えば宇宙の年齢は60億年程度かと解説されている。半世紀で宇宙論が大きく書き換えられたことが分かる。宇宙の新たな「顔」に感激しながらそれを世に伝えようとする畑中の思いが伝わる。宇宙研究がこの半世紀にどのように展開してきたのかを伝える、数少ない好著である。今読んでも、その視野の広さ、表現の分かりやすさは読者に感銘を与える。

3冊目

令和3年 第94冊
理科年表
Chronological Scientific Tables
2021

理科年表

国立天文台編
丸善出版、年度版

宇宙に遊ぶ——そのための助けとなるのが、宇宙の基本データである。宇宙研究の基本は、「宇宙の大きさ」を実感すること。そのためには、基本的な数値データが欠かせない。理科年表は我が国が誇るユニークなデータブックである。さらに勉強しようという方々には、私達の目の前に広がる森羅万象を俯瞰させてくれる貴重な一冊となる。例えば太陽系。理科年表の惑星表のページを見ると太陽と各惑星の半径、質量などが記載されている。火星、木星等、各惑星の大きさくらべがすぐにできる。わずか2ページにまとめられた太陽系のエッセンスを図に描いてみたりするだけで、その成り立ちの一端が見える。筆者は一般向けの講演の際、理科年表の数ページを解説することがある。それぞれの天文数値の求められた背景などを説明していると、興味は尽きない。毎年改訂されているが、是非一度、買い求めてはどうだろう。

宇宙を研究することは、何ページあるかはかり知れない「書物」を読むことに似ている。この「書物」は表紙がどこにあるのかも知れず、どこに終わりがあるのかも分からない。宇宙の研究によってその1ページ、あるいは数行を解読することができれば、研究者として大変な幸せというべきかもしれない。ここにあげた書物を入り口として奥深い宇宙へ目をむけて頂ければ、さらに豊かな宇宙への旅が始まるだろう。

ふくい・やすお
大阪市出身。東京大学理学部天文学科卒業。1979年同大学大学院天文学専攻修了。理学博士。名古屋大学理学部助教授などを経て1993年より教授。同大学理学研究科南半球宇宙観測研究センター長を経て現在に至る。1996年、南米チリに我が国初の海外電波天文台「なんてん」を設置し、南天の観測研究をリードする。2007年紫綬褒章を受章。

3 光より速く進むことは可能か？

選者……赤木昭夫（科学史家）

1冊目

相対性理論入門
内山龍雄著
岩波新書、1978年刊

一六歳、高校生のアインシュタインが、光の波を追いかけて飛び、となりを見ると、光の波の先端が見えるかと考えた。

もし彼が光と完全に同じ速度になれば、光の波は止まる。波を打たなくなる。もうそれは光ではない。だから、彼は光の速度に達することができず、光より速く進めるわけがないと——思考実験——頭の中で実験した。

それから一〇年後（一九〇五年）に発表した「特殊相対性理論」を基に、彼はさらに数理的に展開して、物体の運動速度が光速度に近づくと、物体の質量が無限に大きくなり、物体の速度をさらに高めるには無限に大きなエネルギーを要し、質量ゼロの光以外は光速度に達し得ないことを導き出した。

相対性理論でカーナビを補正

自分の位置を知るには、異なる三つか四つの地点との間の距離を測る（三角測量）。それと同じ原理で、異なる三つか四つの人工衛星（GPS）を使い、自分の位置（緯度と経度）を計算し、コンピュータ・ディスプレーの街路図の上に示す。これが御馴染みのカーナビだ。精度を高めるため相対性理論の御厄介になる。

衛星と自分の間の距離の計算には、電波（＝電磁波＝光）の速度が、秒速約三〇万㎞と一定であることを利用する。衛星が出す電波に記録される発信時刻と地上での受信時刻の差から、伝搬所要時間を計算し、それに光の速度を掛ければ、衛星からの距離が出る。

ところが、静止の時計にくらべて等速運動する時計は、時計の仕組みが同じでも、時の刻みがゆっくりになる。つまり時計が遅れる。その理由（後述）を明らかにしたのが「特殊相対性理論」だ。

一〇〇万分の一秒（一マイクロ秒）の遅れでも、光速度が非常に大きいため、距離の誤差は三〇〇mとなり、そんなカーナビは役に立たない。そこで、理論に基づいて衛星の飛行速度（時速一万四〇〇〇km）から時計の遅れをあらかじめ精密に計算し（一日当たり七マイクロ秒）、随時その分を補正した時刻を衛星から発信する。

それだけではない。重力が大きいと時計は遅れ、重力が小さいと時計は進む。その理由（後述）を明らかにしたのが一九一六年に集大成された「一般相対性理論」だ。地上二万kmをまわるGPS衛星では地表より重力が小さく、衛星搭載の時計は一日当たり四五マイクロ秒も進む。この重力の差異による時計の進みもこまめに補正して衛星は時刻を発信する。両方の補正で、位置の誤差は一〇m以下と、信じられない精度を確保できている。

相対性の由来、特殊と一般はどう違うか

光速度を唯一の例外として、時間や距離などの基本的物理量の測定値は、測る側と測られる側の運動によって異なり、つまり、もともと絶対的に決まっているのではなく、そのたびに相手との運動の関係次第で、相対的に変わるので、この性質を「相対性」と言うようになった。

相対的運動が《等速運動》の場合を扱うのが特殊相対性理論で、真空のもとでの光速度だけは（測り方に依存せず）一定と前提する。同じつくりの光時計のひとつが地上に

固定された状態に、もうひとつが水平方向に超高速度で、ただし定速で飛ぶロケットに搭載された状態にあるとしよう。上端から出た光が下端に当たり反射して上端にもどるまでを時計の一刻みとする。固定の時計にくらべて、ロケット上の時計では、上端から出た光が下端に当たるまでに、下端が横へ移動しているので、光の道筋は斜めになり、より長くなる。もどりでも同じことが起こる。その結果、光速度は一定だから、時間が長くかかる。つまり、その分だけ時計の一刻みが長くなり、時計が遅れる。

他方、相対的運動が《加速度運動》の場合を扱うのが「一般相対性理論」で、重力と加速度は等価（重力の値は加速度の値に置き換えられる）と前提する。そのように前提するのは、（当時も今も）正体が不明で、どこまでも広がり、扱いにくい重力をいったん考えからはずし、すでに築き上げた特殊相対性理論の成果を利用して、重力が働く場合を扱おうという魂胆からだ。というよりも、それしか考えようがないのだ。

同じつくりの光時計のひとつを地上に固定し、もうひとつを高い塔から自由落下させる。重力が働くなかでも、自由落下させると、宇宙船の中の人が浮くように、時計も無重力状態になる。重力が消えた状態になる。時計は静止状態にあるのと同じで、時の刻みには遅れも進みもない。つぎに、ある瞬間について考えることにする。他方の地上の光時計は、落下する時計にたいし、比較する瞬間ごとに、つまり、相対関係を定める瞬間ごとに、逆に上に《定速》で飛び上がっていると観測される。したがって、その時計は特殊相対性理論にしたがって刻みがゆっくりで、時計は遅れる。瞬間がかさなり、時計の遅れが増す。さてどちらの時計がより重力の大きなところにあるのか。地上の時計のほうに、より大きな重力がかかっているから、重力が大きいと時計は遅れることになる。逆に重力が小さいと時計は進むことになる。

この間の経過を整理すると、一九〇五年に特殊相対性理論を発表したアインシュタインは、二年後の一九〇七年一一月の「もし自由落下する人がいたとすれば、彼は自分の重さを感じない筈だ」との思考実験の結果を、さらに四年後の一九一一年に「重力と加速度の等価原理」としてまとめ論文に発表した。これを契機に、あとは一瀉千里で、続けて同じ年の年末に、重力が大きな太陽の近くでは光が曲がると予想し、曲がりの角度を試算し、正確ではなかったが、値を発表した。一般相対性理論の正しさを確かめて貫いたかったのだ。

重力で光が曲がり、時空がゆがむ

すでに一九一一年末の論文では、アインシュタインは確信にあふれ、思考実験を省略して、重力（＝加速度）のもとでの光の曲がりを数式に書いた。その過程をわかりやすいように、あらためて数式なしの思考実験にもどす（翻訳する）と、加速しながら降下するエレベータの横壁から発せられた光は、エレベータ内では直進するが、エレベータ外の静止する者からは、光は放物線をえがきながら下降すると観測される。つまり、重力のもとで光は曲がると結論することが可能になる。

太陽のための星の光の曲がりは、一九一九年、イギリスの日食観測隊によって確認され、そのお蔭で一般相対性理論が有名になり、アインシュタインは世界的なスターになった。だが、実はそれよりも八年も前に、重力と加速度の等価を前提にすることによって——公理として設定することによって——あとは数理的に展開して、つまり演繹して、「重力のもとで光が曲がり、時計が遅れる」という定理を、理論的に引き出していたのだ。

アインシュタインは一八七九年に生まれ、一九五五年に亡くなった。彼が世を去ってから四二年後の一九九七年に、埋もれていたアインシュタインのメモの中身が発表された。それによると、すでに一九一二年に彼は「重力レンズ」という捉え方に達していた。はるか遠くの星からの光が、質量の大きな天体のまわりで曲げられ、地上の観測者のところで焦点を結ぶことが起こり得る。大きな質量がレンズの役割を果たす。その実例が一九七九年に発見された。これによって、またしても理論の威力を感じさせられた。

アインシュタインのアプローチが、思考実験で得たアイデアの理論化だったことを教えてくれる点で、『相対性理論入門』が役に立つ。

2冊目

ファラデーとマクスウェル

後藤憲一著
清水書院、1993年刊

千分の一秒刻みで株を取り引きするウォール・ストリートでは、コンピュータ・センターと結ぶのに、光ではなく極超短波を選ぶ。電磁波（＝光）の秒速は、真空中にくらべ空中は九〇km減だが、ガラス・ファイバーでは約一万km減で、後れをとるからだ。

最初アインシュタインが真空中の光速度一定を前提にしたのは、事柄を単純にするためだ。その上で、重力によって光が曲がることを引き出したが、曲がるところで光速度が落ちる。もちろん重力も含め媒質が光速度を決める。光のエネルギーが媒質に吸収されるためと考えるとわかりやすい。真空中かつ無重力での光速度が基準にされるのは、少ない基準で、多くの物理量を定義できるからだ。

真空中の光速度を定数として導き出したのはマクスウェルで、一八六五年のことだった。電気と磁気のからみ合いの方程式を操作して、方程式の形が波動を表すのに彼は気づいた。その伝わる速度が定数として得られ、値が光速度に等しいことを基に、一足飛びに彼が光は電磁波だと結論したのだ。

本書『ファラデーとマクスウェル』を除き、この間の道筋を数式なしで解説した良書は少ない。電磁波を観測する二つの座標系（静止と等速運動）を導入すると、光速度一定を前提にしないでも特殊相対性理論が出てくる経緯は、理系むけの教科書でも扱っていない。

3冊目

宇宙のランドスケープ

レオナルド・サスキンド著　林田陽子訳
日経BP社、2006年刊

最新の宇宙論——レオナルド・サスキンドの『宇宙のランドスケープ』——は、ひも理論とインフレ宇宙を結びつけ、多重宇宙を提言する。この理論ではそもそも宇宙がひとつではないから、中心が決まらない。また馴染みの「ビッグバン＋その後のインフレ＋現在も続く膨張」で説明される「観測可能な宇宙」でも、つぎの三点が問題になる。

第一は「宇宙の地平線」のためだ。広すぎて、すべての銀河が見えているかどうか、何の保証もない。だから、宇宙の末端を把握できない。

第二は「四次元の時空の膨張」のためだ。特殊相対性理論にしたがって、空間の三次元に時間の一次元をからませ四次元の時空として捉えねばならないが、膨張宇宙としてイメージできる限界は、膨らむ風船の表面の各点が互いに遠ざかっていく二次元宇宙だ。そのような二次元のモデルにおいてすらも、互いに遠ざかりあう点の間で、膨張の起点（＝宇宙の中心）を決められないのだから、膨張する四次元宇宙で中心や境界面を特定できるわけがない。

第三は「広さに伴うコンパクトなトポロジー」のためだ。一定の形状の単位空間を貼り付けることを続けると、ついには全表面がつながり、コンパクトな（原義は詰まった）トポロジー（形状）、いわば「閉じた宇宙」になる。どの単位空間からたどり始めても元へもどる。つまり、中心も末端も在り得ないことになるのだ。

あかぎ・あきお
1932年京都市生まれ。東京大学文学部英文学科卒。NHK解説委員、慶應義塾大学教授、放送大学教授を経て、著述に専念。専攻は英文学と学説史。学説史での最新の著作は「二一世紀のための教養：学術の連環」（『エネルギーを考える』作品社　2013年に収載）。最近は夏目漱石を人文学、創作、英文学、文学論、哲学、思想などの各面から総合的に再評価することに努め、「漱石の文学論：ナラトロジーとしての現代性」を『文学』2014年11〜12月号に発表した。

4 人類はどこまで宇宙を理解したか？

選者……大内正己（天文学者）

1冊目

図鑑NEO 宇宙
池内了、半田利弘、大内正己、橋本樹明
小学館、2004年刊

子供の頃、私は図鑑が好きでした。特に宇宙の図鑑はお気に入りで、時間があればパラパラとめくって、面白い絵に出くわしたらそのページを食い入るように見ていました。図鑑を広げると、灼熱の太陽や漆黒の闇に包まれた冥王星、まばゆい光を放つ銀河など、宇宙の天体への旅が始まります。夜な夜な図鑑を開いては、宇宙のあちこちをめぐってきました。人によって好きな図鑑は違うと思いますが、子供の頃に図鑑の世界に引き込まれて、私のようにいろいろな世界を旅した方も多いでしょう。そんな図鑑の中で、大人になった今でも宇宙の旅へと誘ってくれるのが本書『図鑑NEO 宇宙』です。

とは言え、本書は子供向けの図鑑ということもあり、「所詮、子供だましだろう」と思われるかもしれません。しかし書店に行き、絵本・児童書コーナーに置かれる本書を手にしてみると、考え方が変わるかもしれません。本書は身近な天体である地球や月、太陽からスタートして、銀河、そしてビッグバンで始まり今なお膨張を続ける宇宙へと話が広がっていきます。最新の天体画像を交えながら、宇宙の姿を鮮やかに描き出しています。どのページも美しい天体写真やイラストで溢れており、「自分が子供の時に見た宇宙の図鑑とはずいぶん様子が違うな」という印象を抱かれるはずです。さらに、ふりがな混じりの短い文章を目で追っていくと「インフレーション」「ダークマター」「暗黒エネルギー」など最先端の天文学で議論されていることが容赦なく説明されています。私の研究室にいる天文学専攻の学生や若手研究員が本書を見ると、「そこまで知らなかった……これ本当に子供向けですか？」という言葉が出るほど高度な内容を含んでいます。そこまで言うと、逆に難解な本ではないかと心配になる方もいるかもしれません。しかし、小学館の図鑑NEOシリーズの一冊とあって、忍者やどら焼き、目鼻が描かれた土星など、イラスト満載の説明で、（当然のことながら）小学生が読んでよく分かるように工夫されています。

また、星や銀河のでき方、さらには138億年前にビッグバンで生まれた宇宙の生い立ちにいたるまで、この中で最新の研究結果を仮説も交えながら解説しています。そして、○○万光年とか××億年前といった「天文学的数字」を見てもピンとこない読者のために、科学教育の現場で用いられている優れたアイディアを駆使して、感覚的に宇宙を理解できるようにしてあります。まず、宇宙の大きさについては、図鑑の見開きに「宇宙をめぐる10倍の旅」という綴じ込みがあり、女の子が持つ星のおもちゃからスタートして、10倍ずつズームアウトを繰り返して、東京（神保町）の街並み、やがて日本、地球、太陽系、銀河系の全体像へと広がり、最後は果てしなく広がる宇宙の大規模構造が出てきて、このおもちゃを持つ女の子は宇宙の大規模構造の中にいたことが分かります。次に宇宙の時間については、本書の中ほど見開きに、宇宙誕生から現在までの出来事を歴史絵巻風に示した図があります。さらに、この図に対応する形で宇宙カレンダーというものが描かれています。宇宙カレンダーとは、現在の宇宙の年齢138億年を1年のカレンダーに置き換えて、宇宙の歴史を示したもので、1月1日午前0時が宇宙誕生で、12月31日午後12時を現在としたときに、何月何日の何時頃に宇宙で何が起こったかを示しています。このカレンダーに基づいて考えると1月6日頃に宇宙で初めて星ができ、9月1日頃に地球を含む太陽系ができたといった具合です。比較のために生命や人類の登場時期も描かれています。それによると人類は12月31日の午後11時52分に登場して、宇宙にまだ8分しか存在していない新参者であることがわかります。このように人類と宇宙の歴史の長さの違いが感覚的につかめるように工夫されています。

そして、本書に大きなアクセントを付けているのが、ロケットを使った探査と宇宙開発のページでしょう。例えば、月の探査については、アポロ宇宙船が辿った詳しい軌跡を図示した上で、月面で活動する乗組員の写真を出して解説しています。最後には、未来の宇宙開発のページがあり、ＳＦでおなじみの軌道エレベーターや星間ラムジェット、コールドスリープ、宇宙での重力の作り出し方など、大人でも夢が膨らむ内容になっています。

すでにお気づきの読者もいるかと思いますが、本書は4人の現役研究者が執筆したものであり、私もその1人として協力しました。私たちは、本書を作るにあたって、これまでの図鑑とは違うものを目指しました。製作当時に出版されていた図鑑の内容は、20世紀半ばまでに分かった知識を基本にしていました。しかし、それからの半世紀で、宇宙の研究は急速に発展しました。天文学史上、最も目覚ましい発展を遂げた半世紀と言っても過言ではありません。この中で様々な仮説が事実として認識されるようになりました。例えば、ブラックホールが宇宙に数多存在すること、宇宙の誕生がビッグバンであったことなどです。また、新たな観測データから、これまでに予想されなかった宇宙像も明らかになっています。例えば、宇宙には太陽系に見られないような不思議な惑星が沢山あることや宇宙を広げる謎のエネルギーがあるかもしれないことなどです。このように、過去半世紀の間に私たち人類の宇宙観は大きく変化しました。それにもかかわらず、学校では、ごくごく限られた宇宙のことしか教えてくれません。折しもゆとり教育全盛期だったこともあり、小中学校で習う宇宙は、月の満ち欠けや太陽系止まりでした。当時、「小中学校では、太陽系の外の世界は無いものとして扱っている。だから今の子供たちは、太陽系の端は滝にでもなっていると想像しているに違いない」などという冗談も聞かれるほどでした。そこで、「子供たちに私たちや私たちの先輩にあたる研究者が発見した感動的な事実、そして限りなく広がる宇宙像を知ってもらいたい」こんな一心で本書を執筆しました。もちろん、研究途上の最新の結果については、間違えも含まれるはずですので、慎重に記述しました。最新の結果のうち検証が不十分なものについては、「まだ分からないが、今はこう考えられている」という慎重な書き方を心がけました。子供向けとは言え、大人が持つ科学への厳しい視線に耐えつつ、印象的な宇宙の姿が本書に描かれています。

紙面が限られているため、深い内容まで立ち入ることはできていませんが、この一冊だけで最新研究に基づく宇宙像を概観できるでしょう。このような書籍は、国内外探しても見つけるのは難しいかもしれません。また、ほとんどの内容が見開き2ページにまとめられていて「ちょっと知りたいな」と思った時や、眠れない夜などに、少しだけ眺めたり、読みかじったりできる良さもあります。本書によって、図鑑の世界を旅していた子供の頃の感覚が蘇ってくる方が出てくるかもしれません。

2冊目

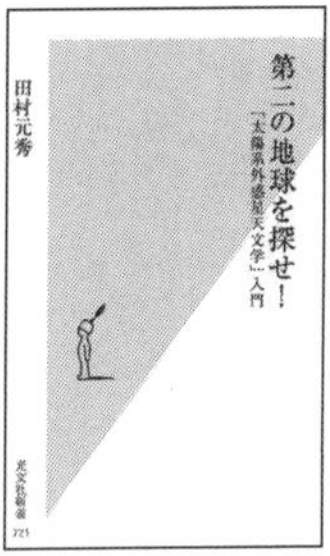

第二の地球を探せ！
：「太陽系外惑星天文学」入門

田村元秀著
光文社新書、２０１４年刊

科学館などで講演会をすると「宇宙人はいるのですか？」という質問をよく受けます。この質問をもう少し一般化した「地球外生命は存在するのか？」という疑問は、誰しも持ったことがあるでしょう。地球外生命と言うと、以前はＳＦかオカルトの話でした。しかし、約20年前に太陽系外惑星が発見されてからは、天文学と生物学が融合した天文生物学が急速に発展し、今や地球外生命は現代科学の最重要課題の一つとして位置づけられています。

このように発展著しい学問分野について、黎明期から２０１０年以降の最新の研究結果までを惜しみなく解説したのが本書です。著者は、天文学者であり、太陽系外惑星研究の世界的第一人者です。本書の読みどころは、映画「スター・ウォーズ」に出て来るような二重太陽の惑星系をはじめ、太陽系の常識では考えられないような惑星系が最近の観測で見つかっていること、さらには生命を宿す条件が揃った惑星（ハビタブルプラネット）が実際に発見されていることなどです。地球外生命が存在するかどうかはまだ分かっていませんが、様々な技術やアイディアを駆使して生命を宿す第二の地球に迫る研究者たちの執念が伝わってきます。この目覚ましい研究の進展を目の当たりにすると、現代科学が地球外生命の存在を明らかにするのは時間の問題だろうと思えてきます。

3冊目

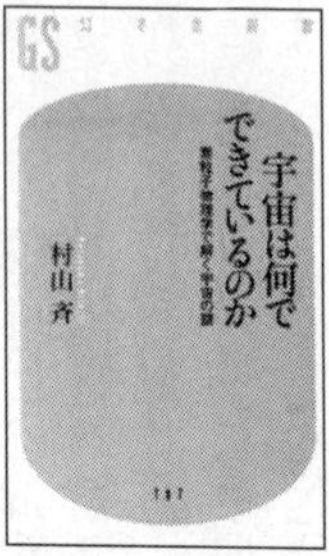

宇宙は何でできているのか

村山斉著
幻冬舎新書、2010年刊

宇宙と言えば巨大な空間でしょう。しかし、本書はこの逆の微小な世界を解説しています。リンゴをバラバラにすると水素や酸素、炭素などの原子になり、原子をバラバラにすると陽子と中性子、電子になって、さらに陽子と中性子をバラバラにするとクォークになります。クォークはそれ以上バラバラにできない「素粒子」だと考えられています。そして、ビッグバンで誕生したばかりの宇宙は、素粒子のように小さい世界だったので、素粒子から誕生直後の宇宙が理解できるというのです。

本書では、微小な世界を記述する量子力学の話がどんどん出てきます。量子力学に苦手意識を持つ方は、シュレーディンガー方程式や不確定性関係などの言葉を見て顔が引きつるかもしれません。さらに、量子力学に電磁気学や特殊相対性理論を合わせた量子電気力学なども出てくると顔面蒼白（そうはく）になることでしょう。しかし、著者は東京大学カブリ数物連携宇宙研究機構の機構長として活躍する村山斉氏です。マスコミへの対応にも長（た）ける村山氏のやさしい語り口とユーモアに助けられてどんどん読み進められるでしょう。気づくと、日本人のノーベル賞受賞で話題になったCP対称性の破れも含めて、素粒子物理学のエッセンスである「標準模型」を一通り概観することができます。

本書は素粒子という微小な世界を語りながら、巨大な宇宙を描く好著です。

おおうち・まさみ
1976年生まれ。国立天文台科学研究部教授と東京大学宇宙線研究所教授を兼任。東京大学大学院理学系研究科博士課程修了。理学博士。アメリカ宇宙望遠鏡科学研究所ハッブル・フェロー、カーネギー天文台カーネギー・フェローなどを経て現職。著書に『宇宙の果てはどうなっているのか？：謎の古代天体「ヒミコ」に挑む』（宝島社）がある。すばる望遠鏡やハッブル宇宙望遠鏡といった世界最先端の望遠鏡を駆使して、人類が未だ目にしたことのない宇宙に挑戦している。世界の歴史と文化の探求をライフワークとし、各地で食べ歩きと飲み歩きを欠かさない。

5 地球の変動は人類をどう変えたのか？

選者……鎌田浩毅（京都大学レジリエンス実践ユニット特任教授・名誉教授）

1冊目

歴史を変えた火山噴火

石弘之著
刀水書房、2012年刊

人類は三八億年前の地球上に誕生した生命の子孫である。その間に様々な生物学的な進化を遂げ、現代文明を造るまでに至った。その過程では巨大地震や火山噴火など地球特有の大変動を受けてきたが、その都度、絶滅の危機にさらされながらも生きのびてきた。

科学の物差しを知る際、人間が自然災害とどう格闘してきたのかを辿ることは大変参考になる。科学特有の考え方を学ぶとともに、未来への重要なメッセージを読み取ることが可能だからだ。私の専門の地球科学に基づき、火山噴火が人類の歴史をどう変えてきたのかを見ていきたい。

『歴史を変えた火山噴火』は、紀元前から現在まで人間が経験した大噴火を扱った本で、地球環境を変えてしまうほど巨大なエネルギーを持つ噴火について分かりやすく解説している。著者は長らく新聞記者を務めたあと、国連環境計画などに携わった環境問題の第一人者。明快で練達の文章には定評があり、私自身も著者が執筆した入門書にお世話になってきた。

二〇一一年に起きた東日本大震災は我が国に大きな災禍を与えた。こうした巨大地震は広い地域にすむ人々に打撃を与えるが、噴火の場合は文明を滅ぼすようなさらに大きな災害も起きる。実は地震よりも噴火の方が、人間に与える影響は大きかったのである。

過去には日本列島が火山灰に覆われるような巨大噴火が、七〇〇〇年に一回ほどの頻度で発生してきた。このときに「カルデラ」と呼ばれる大きな窪みができる。大量のマグマが火砕流（かさいりゅう）として噴出した際に、カルデラが生まれるのだ。火砕流とは八〇〇℃という高温の軽石や火山灰が流れる現象である。時速一〇〇キロメートルという高速で火山から駆け降りて、広い範囲を焼き尽くす。たとえば、鹿児島の沖合には七三〇〇年ほど前にできた鬼界（きかい）カルデラがあり、ここから幸屋（こうや）火砕流が噴出した。本書の第四章に取り上げられている話だが、居住していた縄文人を襲って南九州で栄えていた縄文文化をまたたくまに崩壊させてしまった。

また、火砕流が噴出した時には、火山灰が上空数十キロメートルまで噴き上がった。この火山灰は偏西風に乗って東北地方まで飛んでいった。

このほかにも本書にはミノア文明を滅ぼした三五〇〇年ほど前のギリシャ・サントリーニ島の噴火や、西暦七九年に古代都市ポンペイを埋めたヴェスヴィオ火山の噴火など、人類が影響を受けた特筆すべき噴火災害がくわしく解説されている。

「3・11」直後から変わった日本列島

ここで、二一世紀を生きる我々も歴史的な地殻変動の最中にいることを伝えておきたい。東日本大震災（いわゆる「3・11」）から四年が過ぎ、早くも記憶の「風化」が始まっている。ところが、地球科学から見ると、「3・11」で活発になった地殻変動はまだ終わっていない。それどころか、日本列島は九世紀以来という「大地動乱の時代」に入ってしまったのだ。今後数十年のスパンで、さらなる地震と噴火に見舞われる可能性がある。

二〇一四年九月には長野・岐阜県境の御嶽（おんたけ）山がとつぜん噴火を始めた。軽トラックほどの巨大な岩石が降り注ぎ、死者・行方不明者計六三名という戦後最大の火山災害となった。こうした噴火は御嶽山だけに留まらない。というのは、「3・11」で始まった地殻変動と関係があるからだ。

地球科学には「過去は未来を解く鍵」というキーフレーズがある。過去の歴史を振り返ると、「3・11」で起きたマグニチュード（以下ではMと略記）9の巨大地震が発生すると、数年のうちに近隣にある火山噴火を誘発する事例が多数ある。

二〇世紀以降の全世界でM9クラスの巨大地震は6回起きたが、すべてのケースで地震の数日もしくは数年後に震源域の近くで噴火が発生した。いずれも巨大地震によって地盤にかかる力が急激に変化した結果、マグマの動きが活発化したのである。

歴史を振り返ってみると、現在の状況は九世紀の日本と非常によく似ている。具体的に見てみよう。「3・11」は平安時代の西暦八六九年に起きた貞観（じょうがん）地震と酷似する。この地震から二年後に秋田・山形の県境にある鳥海山が噴火し、四六年後には青森・秋田の県境にある十和田湖のある十和田カルデラが大噴火した。九世紀の日本は特異的に地震と噴火の多い時期だったが、「3・11」以後の日本列島も同様の「大地動乱の時代」に入ったと考えられる。「3・11」直後から、地震が増加した活火山が二〇個ほどある。日本は世界中の七パーセントもの数の活火山を有する屈指の「火山大国」だ。その約二割に当たる活火山の地下で、何らかの動きが始まった。

幸い、その後はいずれの火山でも地震は減少し、現在まで火山活動に目立った変化は見られない。御嶽山はこうした二〇個の活火山に先駆けて、「3・11」の三年六ヶ月後に噴火を開始した。よって、他の「噴火スタンバイ」火山についても、厳重な監視が必要なのである。

巨大地震が噴火を誘発する可能性としては、日本一の標高を持つ富士山も例外ではない。「3・11」の四日後の三月一五日に、富士山頂の南でM6・4の地震が発生し、最大震度6強が観測された。震源は富士山のマグマだまりの直上だったので、私を始め火山学者はみな肝を冷やした。その後は幸い、富士山が噴火の途上にあることを示すデータは得られていない。

一方、過去を振り返ると、「3・11」クラスの巨大地震が発生した後に富士山が大噴火した例がある。江戸時代の一七〇七年、M8・6の「宝永地震」が発生した四九日後に、大量のマグマが噴出した。江戸の街に数センチメートルもの火山灰を降らせた「宝永噴火」である。本書の終章「悪夢の時限爆弾」にも取り上げられているエピソードだ（一五五ページ）。

この噴火は直前の宝永地震によって誘発された、と我々火山学者は考えている。同様の恐れが近未来の日本にもある。西暦二〇三〇年代に起きると予想される「南海トラフ巨大地震」（M9・1）である。最悪のケースとして、東海地震・東南海地震・南海地震の三連動が、富士山噴火を誘発する可能性もゼロではない（拙著『京大人気講義　生き抜くための地震学』を参照）。

日本列島の火山が噴火しやすくなったことは事実なので、可能な限り火山の地下を監視し、災害に巻き込まれる確率を減らす努力が肝要である。ちなみに本書の第六章で扱われたローマ時代のポンペイには現代のような火山学がなく、活火山ヴェスヴィオの噴火によって麓に暮らす市民二〇〇〇人が犠牲となった。火山防災に関する知識のない時代の悲劇である。もし日本でも火山観測を止めてしまえば、我々はポンペイ市民と同じ運命をたどることになる。

確かに、科学は万能ではなく予想外の大惨事がおきることもある。しかしそれを踏まえた上で、一〇〇〇年ぶりの変動期に入った日本列島で人命を救うには、歴史上の災害を伝えておく必要があると私は強く信じている。こうしたことも本書から読み取っていただきたいと願う。

2冊目

絵でわかるプレートテクトニクス

是永淳著
講談社、2014年刊

地震や噴火などの地球の変動に関する研究は、地球科学で第一のテーマとされる。なぜ地震が起きるのか、どのように噴火するのかを明らかにするために、地球科学者は何百年にわたり努力を続けてきた。そして回答の一部がプレートテクトニクス理論によって見事に与えられた。

地球表面は一一枚ほどのプレートという厚い岩板に覆われている。このプレートが水平移動することによって、地震や噴火が起きることが判明した。具体的に言うと、日本列島に向かって太平洋から押し寄せる太平洋プレートの動きが、地震と噴火の原動力となったのだ。極めて低速度のプレート運動だが、将来の日本に大きな災禍をもたらすものでもある。先述の「南海トラフ巨大地震」は、フィリピン海プレートの仕業である。プレート運動は太平洋の海底に「南海トラフ」と呼ばれる広大な窪みを作った。巨大地震はここで定期的に起きるのだが、西暦二〇三〇年代という発生時期の予測もプレートテクトニクス理論によるものだ。

本書はこの理論をビジュアルで解説した意欲作。著者はイェール大学地球科学科教授を務める世界的な権威で、難解に思われる地球科学を分解して解説することに成功している。

実は、科学の啓発書は優秀な研究者が書いたものを選ぶと良い、という経験則を体現したのが本書である。自然災害から地球の変動に興味を持ったなら、本書のような入門書で地球のメカニズムについて勉強していただきたい。

3冊目

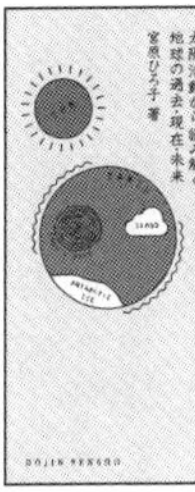

地球の変動はどこまで宇宙で解明できるか
：太陽活動から読み解く地球の過去・現在・未来

宮原ひろ子著
化学同人、2014年刊

三冊目は、太陽の活動が地球環境にどのような影響を及ぼすかを論じた解説書である。「宇宙気候学」を専門とする新進気鋭の著者は、宇宙に目を向けながら過去から未来までの環境について、写真や図表をふんだんに使いながら丁寧に読み解いてゆく。「ここ数年で宇宙気候学を取り巻く学問は大きく前進しつつあり、状況は今後十年で大きく変わっていくだろう」（二〇三ページ）と著者は述べる。自然科学の多くの分野にまたがるデータを用いて、巨大で複雑なジグソーパズルを解いてゆく面白さが、ここにあるのだ。

近年、地球温暖化問題が、科学のみならず政治・経済の分野に拡大しながら世界中の課題となっている。たとえばここ数年、太陽の活動が大きく転換し、活動の極小期に入って寒冷化への道をたどる可能性がある。さらに、多くの地質学者は、地球は大局的に氷河期に向かっていると考えている。実は、地球温暖化問題はテレビや新聞で報道されるように簡単なものでは決してない。

こうした地球環境の将来予測に関しても、本書に紹介された新しい視点は大いに役立つであろう。いずれも話の組み立てが秀逸で、最後まで一気に読ませてくれる。著者のような、科学の醍醐味を伝える能力を持つ若い研究者の出現に、元祖「科学の伝道師」の私からも大きなエールを送りたいと思う。本当にサイエンスは、「面白くてタメになる」ものなのだから。

かまた・ひろき
1955年生まれ。東京大学理学部地学科卒業。通産省主任研究官と京都大学大学院人間・環境学研究科教授を経て2021年より京都大学レジリエンス実践ユニット特任教授・名誉教授。専門は地球科学・火山学・科学教育。テレビや講演会で科学を面白く解説する「京大人気No.1教授」の「科学の伝道師」。著書に『座右の古典』『新版　一生モノの勉強法』（ともにちくま文庫）、『理学博士の本棚』（角川新書）、『世界がわかる理系の名著』（文春新書）、『100年無敵の勉強法』（ちくまQブックス）、『地震はなぜ起きる?』（岩波ジュニアスタートブックス）など多数。

6 ハチは飛んできたか？

選者……大河内直彦（海洋研究開発機構　生物地球化学分野・分野長）

1冊目

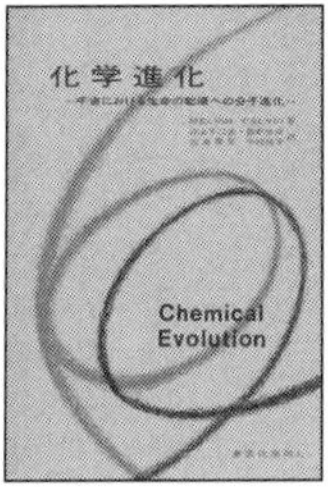

化学進化
：宇宙における生命の起原への分子進化

M・カルビン著　江上不二夫訳
東京化学同人、1970年刊

そう。昨夏、家のテラスに咲いた可憐（かれん）なユウガオ（おお、何とオレ好み！）に一匹のハチが飛んできた。いったいどこからやって来たのだろう？　どうやってオレの彼女、じゃなかった、この花に目を付けたのだろう？　日々の暮らしの中に潜むふとした自然との関わりの一幕である。私たちの暮らしは、人間同士の付き合いと、カネとモノのやりとりだけで成り立っているわけではない。自然との関わりも（都市部では少なくなったとはいえ）、いまだに重要なピースである。日々の生活においてオンとオフ、仕事とプライベートなどといった二項対立が成り立つなら、自然vs.非自然という見方があってもいい。私たちが、自然との関わりの中で目にするものには何らかの因果関係があり、科学はそれを解き明かす鍵となる。

私の場合、自然を覗く窓は天然に分布する多様な有機化合物である。有機化合物とはもちろん、炭素や窒素、水素、酸素などでできた化学物質のことで、それを体系化した有機化学とは元来、生き物が作り出す成分を調べる学問として始まった。そして、これに生物学的な背景を与えるのが生化学である。私の場合こういった学問を礎（いしずえ）として、生き物が生み出す化学物質の世界を経由し、網膜に映る世界を理解してみようとまずは考えるのである。ある種の職業病だ。先ほどのハチの例なら、花が放つ芳香族化合物と、それを嗅ぎ付けるセンサーといったふうにである。化学とは暮らしに役立つモノを作るためだけの科学ではないし、生物学とは細胞の中で起きていることや、遺伝子に秘められた謎を理解するためだけの科学ではない。それらは、私たちが日々関わる自然を深く理解するためのすばらしいツールなのだ。そして、そこに合理性となお一層の美しさを生み出すのである。

私たちの身の回りは、有機分子で満ちている。そういう私自身も有機分子の塊である。ヒト、ネコ、樹木、スズメ、昆虫などといった目に見える生き物はもちろんのこと、目に見えないとはいえ、微生物はわずか1㎝四方の土壌のかけらの中に、数十億もの個体が暮らしている。そんな生き物の数々は、生きるエネルギーを得るため、呼吸や代謝などと呼び習わされる化学反応を一瞬たりとも休まず行い、古い有機分子を壊したり、新たに有機分子をこの世界に生み出し、環境を常に変革し続けている。生き物のことを抜きにして考えるこの世界など、見かけ倒しの世界にすぎない。逆にこの世界をコントロールする真の因果応報を知りたければ、まずは生物学と化学からアプローチすることをお勧めする。

　すっかり前置きが長くなったが、まず紹介するのはメルビン・カルビンによる『化学進化』である。いきなり古い本で恐縮だが、一九六九年にアメリカで出版された本の翻訳である。著者のメルビン・カルビンは、光合成における二酸化炭素の固定メカニズムを明らかにした成果で、一九六一年にノーベル化学賞を受賞した高名な研究者である。光合成によって二酸化炭素が有機物に変わる反応サイクルを明らかにし、「ミスター光合成」とも呼ばれた。いわゆるカルビン・サイクルは、中学高校で少々、大学の教養できちんと習う現代生物学のいろはである。光合成の研究が一段落したカルビンの興味を強烈に引き付けたのが、大昔の岩石中に含まれている有機分子だった。こういった化石分子は、かつて生き物を形作っていた有機分子の残存物（レムナント）である。地球誕生初期には、どんな生物が住んでいたのだろうか？　生き物を形作る有機分子の構造が、時代とともに徐々に進化を遂げてきたことは化石分子が教えてくれるところだが、その変化が、生物自身の進化や地球環境の変化とどのように結びつくのか？　そもそも宇宙からやってくる隕石（いんせき）中の有機分子とどういうつながりがあるのか？　こういった問いに科学的に答えようとしたのが、この『化学進化』である。太古の岩石や隕石の中から見出される有機分子には、科学とロマンが同居している。興味は尽きることなく、とめどもなく溢れ続けること請け合いだ。こう褒めてから言うのも何だが、本書はきわめて粗削りな内容で、お世辞にもよく練られた本とは言えない。失礼ながら、翻訳も一辺倒である。私が読んだ時には、すでに古い本になっていた。しかしそれでも、私は魅せられた。本当に夢中になって読んだ。そして、多くを学んだ。

　私がこの本を初めて手にしたのは、二〇年余り前の大学院生の頃だ。大昔の海底に沈殿した堆積物中からその中に含まれる有機化合物を抽出し、それらの化学構造を一生懸命決めていた（今も似たようなことをやっているが）。かつて深い海の底に降り積もった有機分子を通して、当時の生き物を復元し、それを取り巻く世界を組み立てていくのである。しょっちゅう調子が悪くなるガスクロマトグラフィーや質量分析計などと格闘しながら、この無限に続きそうな地道な作業の遠い先には、きっとそれに見合う何かがあるはずと青二才らしく考えたのだ。カルビンの『化学進化』は、そんな科学者の卵の魂をくすぐるに十分な仕掛けと、雄弁さが備わっていたのである。カルビンが本書を著わして以降、新たな知識がどんどん付け加わった。今、同じタイトルの本を書こうとすると、化学式と亀の甲（注：ベンゼン環のことです）だらけの全く違うテイストの分厚い本になるだろう。しかし、美しさという観点からすれば、当時の科学にはとうていかなわない。知識量が乏しかった黎明（れいめい）期には、科学はわずかしかないピースを紡いで生み出される。そんな世界には、しばしば美しさが宿るものだ。知識が足りないがゆえに生み出される美である。しかし科学は進歩すればするほど、その姿は美しさからかけ離れたものになっていく。先端科学とはそんなものだ。そんなことまで教えてくれる。

カルビンは生涯に多くの本を著わした。しかし、知識をきれいに組織化して解説したものはほとんどない。逆に、思いのまま勢いに乗って書いたものが多い。科学者にとってもこういった本の方が、教科書のように組織立てて書かれたものよりもしっかりと心を摑むものだ。しかもアポロ計画で月面に立つ宇宙飛行士の写真まで挿入されている（日本版だけのようだが）。生命の起源、進化、宇宙に分布する有機物との関わり、ひょっとしたらいるかもしれない宇宙人……こういったものが雑多に入り混じって、人類が月面に降り立った当時の科学界の熱狂の残り香とともに伝わってくるのである。

もしあなたが、何かのテーマについて長じたオトナになりたいと思うなら、まずは良書を知ることだ。そして腰を据えてそれをじっくり読み、時間をかけて考え、それに人生のふりかけがかかればなお良い。ローマは一日にしてならず。早道などどこにもない。カルビンの『化学進化』と後に紹介する二冊は、そのことをかつて私に教え、皆さんにも教えるはずの一冊である。

2冊目

なぜ地球は人が住める星になったか？

：現代宇宙科学への招待

W・S・ブロッカー著、斎藤馨児訳

講談社ブルーバックス、1988年刊

次に紹介するのは、コロンビア大学の地球科学者ウォレス・ブロッカーによる『なぜ地球は人が住める星になったか？』である。地球環境を研究する者ならブロッカーの名を知らぬ者はいない。長年にわたって、地球環境に関わる幅広いトピックにおいて、オピニオン・リーダーとして影響力を及ぼしてきた著名な研究者である。それでありながら、啓蒙書の著作も多い。まさにスーパーマンである。コロンビア大学とハーバード大学で行った、タイトルにある問いに答える一連の講義を収録した本書は、宇宙やこの星の起源論から始まり、気候変動がなぜ起きるのか、天然資源はどのようにして蓄積したのか、はたまた人類は将来も生き残ることができるのか、というあらゆるテーマを扱っている。化学、特に同位体というツールを十二分に縦横無尽に駆使した謎解きはまるで推理小説である。目から鱗がぼろぼろ落ちるとは、まさにこのことだ。通常の出版経路を嫌う著者は、なるべく多くの学生の手に渡るようにと、自費出版による安価での出版の道を選んだ。その筋でもパイオニアである。日本では、ブルーバックスから出版された。が、聞くところによるとそれほど売れたわけではなかったらしい。おかげでこれも絶版。残念の限りである。私がこの本を読んだのは大学の学部生のころ。化学を学べば、瞳に映る世界はがらり変わる。私にそう教え、私の人生を大きく変えた一冊でもある。

3冊目

石油の世紀：支配者たちの興亡（上・下）

ダニエル・ヤーギン著　日高義樹・持田直武訳
日本放送出版協会、1991年刊

ペンシルバニアの片田舎に始まる近代石油ビジネスは、今や世界の経済活動を支配する巨人にまで成長した。一世紀余りの石油ビジネスの歴史を、多くの原著や公文書などの綿密な取材をもとに組み上げた一大叙事詩が、最後に紹介するダニエル・ヤーギンの大著『石油の世紀：支配者たちの興亡』である。この本が出版されたのは一九九〇年のことだ。だから、その後に起きた米国同時多発テロ、イラク戦争、原油高騰などの話題はもちろんない。しかし最初にまとめて掲載されている写真を眺めるだけでも、地球が生み出したこの偉大なる液体が人類史に果たした役割の深遠さにはっとさせられるだろう。自然から生まれた類いまれなる物質は、この世界を複雑に絡み合った魑魅魍魎の世界に仕立て上げた。ヤーギンは最近、この本の続編となる『探求：エネルギーの世紀』（2012年）を著わしている。しかし、私はあえて古い方をお勧めしたい。原文九〇〇ページ超、日本語にいたっては一四〇〇ページを超える大作である。執念を込めて仕込んだ本に、著者の魂を感じるからである。そういえば昨今、こういった魂本をあまり目にしなくなった。せっかく訳されたこういう極良書が絶版になり、図書館の片隅で人知れず眠っているのは、寂しい限りである。この国のエネルギー問題を議論するうえでもマイナスの効果しかない。早く電子化して、再販すべき本の筆頭として挙げたい。

おおこうち・なおひこ
1966年生まれ。海洋研究開発機構生物地球化学分野・分野長。東京大学大学院理学系研究科地質学専攻博士課程修了、博士（理学）。京都大学生態学研究センター博士研究員、北海道大学低温科学研究所助手、米国ウッズホール海洋研究所博士研究員を経て現職。著書に『「地球のからくり」に挑む』（新潮新書）、『チェンジング・ブルー：気候変動の謎に迫る』（岩波書店）がある。

7 進化とは何か？

選者……長沼 毅（生物学者）

1冊目

進化とは何か
：ドーキンス博士の特別講義
リチャード・ドーキンス著　吉成真由美編訳
ハヤカワ文庫ＮＦ、２０１６年刊

この宇宙においてもっとも不思議な存在は「生命」である。その生命においてもっとも不思議な特徴は「進化」である。この地球に生命が生まれて進化し、やがて人間が生まれてついに宇宙のことを考えるようになった。その宇宙観が正しいかどうかはともかく、せいぜい1リットルちょっとしかない脳の中に、考えうる全宇宙の広がりと歴史が入ってしまったのだ。宇宙の立場に立つと、宇宙は自分の中に「宇宙のことを考える存在」が現れてウレシイと思うだろうか。

私たちが知っている生命は子孫（遺伝子）を残すことに全力を注ぎつつ進化して、宇宙の中で宇宙のことを考える存在（人間）をつくった。その人間の宇宙認識は、古代インドや古代ギリシアの天文学や宇宙論から現代宇宙論へと発展し、宇宙のはじまりや超々銀河団などの大規模構造まで理解できるようになった。

自分が何かを認知していることをわかっている、そんな客観的な認識を「メタ認知」という。その文脈で言えば、宇宙のことを認知している人間は「宇宙におけるメタ存在」とも考えられる。そのメタ存在たる人間は、自分を生みだした「進化」について、どのようにメタ認知してきたのだろう。残念ながら、進化が正しく理解されるようになったのは19世紀半ばになってからだ。ダーウィンの『種の起源』（1859年）が出版されたのはガリレオの『天文対話』の227年後、ニュートンの『プリンキピア』から172年も経ってからのことである。そして、実はいまでも、進化はまだ多くの人に正しく理解されていない。これは由々しき事態である。なぜなら、自分が「どこから来て、どこへ行くのか」を知ること、そして、その原理を知ることで、人間自身をより正しく知り、より良い未来を拓くことができるからである。

ダーウィンは『種の起源』できわめて明快な進化論を提唱した。それは「自然選択」という原理によって生物は複雑化し、種は多様化し、進化する、というものだ。ただ、発表当時は、知識人や一般大衆からの反発がものすごかった。ダーウィン自身は病弱だったので、「ダーウィンの番犬（ブルドッグ）」と称されたハクスリーがダーウィンの代わりに進化論の普及に努めた。ダーウィンもハクスリーも亡きいま、ダーウィンの時代には知られていなかった「遺伝子」を引っさげて、現代の「ダーウィンの番犬（ロットワイラー）」が新しい進化論（総合説）の普及に励んでいる。その人物こそ、著者のリチャード・ドーキンスである。本書はドーキンスが50歳の時（1991年）に行ったクリスマス・レクチャー（英国科学実験講座）の5回の名講演を再現したもので、この単行本版はなんと全世界に先駆けて、日本で2014年のクリスマスに出版された。講演から出版まで23年の時間差があるが、その内容はいささかも古びていないし、むしろ、いまだにヴィヴィッドなくらいだ。でも、それは逆に言うと、この23年間というもの、ドーキンスの尽力にもかかわらず、いまだに「進化論」がきちんと理解されていないということである。

なぜ進化論はきちんと理解されないのか。それは正しい進化論が冷たくみえるからだ。進化論が依って立つ二大要因、すなわち「遺伝子の突然変異」は無目的・無方向であり、それに方向性を与える「自然選択」も無慈悲で機械的なのだ。だから、正しい進化論は冷たくて温かみがないのである。では、正しくないが温かみのあるニセ進化論とは何か。キリンを例にして説明しよう。

進化についてよく話題に上るのは「キリンはなぜあんなに首が長いのか」である。ニセ進化論では「高いところの葉を食べるために」というソフトな目的論で答えてくれる。多くの人々は〝人生の目的〟とか〝生きる意味〟をわかりやすく求めるから、こういう生ぬるい答えが欲しいのだし、それで満足してしまう。本書では「安全や幸福というのは、安易な答え、安っぽい快適さ、生やさしい嘘に満足しているということを意味する」と言及されている。

それに対して、正しい進化論では「たまたま首が長くなった個体が高いところの葉を食べるようになった結果、よりよく子孫を残したから」という結果論で説明する。そう、正しい進化論はハードな結果論なのだ。そこには〝人生の目的〟も〝生きる意味〟もない、殺伐とした風景しかみえない。本書でも「生まれた生命体のほとんどが、遠い祖先にならずして死んでしまう……ほんのわずかの「エリート」だけが祖先になることができる」と述べている。このエリートという言葉にも抵抗を覚えるかもしれない。

しかし、正しい進化論におけるエリートは冷たいどころか熱い。遺伝子の突然変異のせいで自分だけ〝変なカラダ〟で生まれた個体のうち、自分なりのライフスタイルを開拓した者、たとえば高いところの葉を食べて適応した者のことをいうのである。つまり、持って生まれた〝変なカラダ〟でも、自分なりにがんばった者がエリートなのだ。がんばって子孫を残す、ドーキンス風には〝遺伝子を残す〟、これは冷たい結果論だろうか。いや、熱い目的論だ。その目的もしょせんは〝遺伝子を残すための遺伝子のプログラム〟――目的のための目的――なのであるが、ニセ進化論の生ぬるい目的論よりはずっと熱くて、生命の本質に迫っている。

いま〝目的のための目的〟と述べたが、ドーキンスの言葉によると「体は、遺伝子が次の遺伝子を作るための手段にすぎない」という方法論でもある。もしかしたら、生命とは、進化とは、「手段の目的化」という、世間的には〝やってはいけないこと〟をやっているのだろうか。その意味でも彼の言葉は今日的であり、新鮮ですらある。この他にも本書にはドーキンスの珠玉の名言や警句がキラ星のごとく並んでいるが、それらは実際に本書を読んで拾ってもらいたい。

正しい進化論はいまだに正しく理解されていない上に批判や反論もある。本書では進化論において難題だったポイントを「不可能な山」と呼び、三大難問として眼と翼と擬態（カモフラージュ）を挙げ、その一つ一つに丁寧に答えている。不可能な山でも「わずかずつ上昇するゆっくりとした傾斜道」を行けば登頂できることがよく納得できるはずだ。

本書は5回の講演の再現なので本来は5章モノだが、おまけのように第6章があって、それは訳者の吉成真由美氏とドーキンスの2009年の対談である。これが実に面白い。それまでのまとめになっているほか、ドーキンス自身の考え方やそれに至る背景、そして、進化論マニアならよだれの出そうな「グールド vs.ドーキンス論争」へのコメントなどが述べられている。本物のクリスマス・レクチャーを聴けなかった読者には最高のクリスマス・プレゼントだろう。

私はこの文章を「宇宙のことを考える脳」から始めた。実はレクチャーのタイトルは「宇宙で成長する」だったが、本当は「どうやって頭の中に宇宙を入れるか」でもよかったと本書の中で吐露されている。そう、この宇宙で生まれた生命が進化して脳をつくり、その脳が宇宙のことを考えている。そんな合わせ鏡のような無限イメージにクラクラしながら、この脳自体はどのように進化していくのかとさらに考える。正しく考える＝科学することの楽しさを満喫できる一冊だ。

2冊目

破壊する創造者
：ウイルスが人を進化させた
フランク・ライアン著　夏目大訳
早川書房、2014年刊

ドーキンスのクリスマス・レクチャーの時代にはまだ知られていなかった進化の仕掛けが二つある。一つは21世紀に入ってからわかってきた「エピジェネティクス」。ドーキンスは『利己的な遺伝子』を著したことで遺伝子原理主義者のように思われている。遺伝子原理主義だと、すべての人の一生はすでに運命づけられているかのようだが、実はそうではない。「生まれか、育ちか」でいうと両方であり、生まれは遺伝子（ジェネティクス）で決まるが、育ちは環境（エピジェネティクス）の影響を受ける。
21世紀に入ってからわかってきた、もう一つの進化の仕掛けは「ウイルス」。人間の全遺伝子（ヒトゲノム）の約31億文字の〝文字列〟が明らかになったのが２００３年。この文字列のうち、いわゆる遺伝子の部分は驚いたことに全体の2%しかなかった。残りの98%は非遺伝子で、当初はゴミと呼ばれた。しかし、それはゴミどころか、遺伝子のスイッチのオン・オフを司（つかさど）る、オーケストラの指揮者のような役割のあることがわかってきた。さらに驚いたことに、ゴミの約半分は「ウイルス」の痕跡だった。ヒトゲノムの約半分はウイルス感染の産物だったのである。そして、人間が人間になるべく進化してきた背景には……ウイルス感染がある。そんなウイルス進化論を説くフランク・ライアン著『破壊する創造者』は原書２００９年、エピジェネティクスをも巻き込んだ、読みごたえのある最新進化論だ。

3冊目

生命と非生命のあいだ

：ＮＡＳＡの地球外生命研究
ピーター・Ｄ・ウォード著　長野敬、野村尚子訳
青土社、２００８年刊

進化する主体は生命体（生物）である。ではそこに宿る生命とは何か。ずばり、これをタイトルにした本はすでに幾つかある。それらは生命というものを抽象化し、物理や

化学の言葉で要素還元的に説明したり、あるいはシステム論的に全体論（ホーリズム）で理解しようとしたりする。それは、われわれ人間という生命体が生命を認知するという自縛的な面もある。ところがそんな自縛からぶっ飛んだ生命論がある。それは宇宙生命論。地球生命だけに拘束されず、もっと自由に生命を考えてみよう、という立場だ。

そんな宇宙生命論の中でも白眉はピーター・D・ウォードによる本書だ。似たような題名の本もあるが、こちらはずっと野心的だ。しかも副題に「NASAの地球外生命研究」とあるように実践的・実証的でもあり、決して絵空事ではないところに説得力もある。まずオーソドックスに「生命とは何か」を論じ、次に「地球の生命とは何か」で焦点を絞ったと思ったら、「われわれが知らない生命」で想像の翼を広げる。

しかし、それは荒唐無稽な夢想ではなく、物理・化学的にあり得る生命をデザインするための布石だ。想像は創造となり「生命のレシピ」、「生命の人工合成」へと続いて地球外生命論へ展開する。これがすぐに知的生命体、いわゆる宇宙人につながるわけではないが、人類の宇宙進出も論じられている点では、未来ガイドブックとしても読める。

ながぬま・たけし
1961年生まれ。筑波大学卒業、同大学院修了、理学博士。海洋科学技術センター（現・海洋研究開発機構）研究員を経て、広島大学大学院統合生命科学研究科の教授。深海・地底・南極・北極・砂漠・火山などに住む生き物を研究し、宇宙における生命の可能性を考究する。著書に『形態の生命誌』（新潮選書）、『死なないやつら』（講談社ブルーバックス）など多数。

特別寄稿

ポピュラーサイエンス書の素顔

青木 薫（翻訳家）

数学の大統一に挑む
エドワード・フレンケル著　青木薫訳
文藝春秋、2015年刊

単行本、図鑑からマンガ、科学を看板に掲げた新書レーベル――一般向け自然科学書（ポピュラーサイエンス）の市場は、今日まさに百花繚乱（りょうらん）の趣がある。かつては「文芸書」の版元と思われていた出版社からも、読み応えのあるポピュラーサイエンスのタイトルが続々と刊行されている。こんな時代がやってこようとは、わたしが翻訳の世界に入ったときには、想像もしていなかった。思えばわたしは、いわゆる「理系」ではない人たちにも、もっともっと科学の本を読んでほしい、読まれてしかるべき本が、（英語圏には）たくさんあるのだから……という思いに駆られて、ポピュラーサイエンス翻訳の世界に入ったのだった。なんということだろう、あれからもう、三十年が過ぎようとしているとは。

この原稿をお引き受けするにあたって、担当編集者の方と少しお話しするうちに、忘れかけていたそんな昔の思いがよみがえってきた。当時わたしは、博士号取得後、二年間のアメリカ生活を経て、二人の幼い子どもたちを育てながら、非常勤講師を掛け持ちする生活だった。アメリカに渡ったときにもカルチャーショックは受けたけれど、意外にも、むしろ日本に帰国したときの方が、いろいろと考えさせられることが多かった。外国生活を経験したことで、かつては何も感じずに通り過ぎていたことが、いちいち意識に上るようになったためだろう。そんななかで、わたしにとって見過ごせなかったのが、ポピュラーサイエンスをめぐる状況の彼我の違いだった。

アメリカでよく行っていた本屋さんでは、ポピュラーサイエンス本のコーナーがとても充実していて、たくさんの本が平積みになっていた。別段「理系」というわけでもないビジネスマンも学生さんも、とくに構えることなくそうした本を手に取っているように見えた。アメリカのポピュラーサイエンス市場は、日本のそれとは比べものにならないほど大きい。そして市場の大きさを反映して、当然ながら書き手の層も厚い。「すごい力量だ！」と唸らされる書き手が大勢いて、一般向けの科学読み物を次々と世に送り出していたのである。

そうして刊行された多くの本の中で、とくによく売れたタイトルが、翻訳されて日本にやってくるわけだった。ところが、原著を読めば専門家向けではないことが明らかな本が、翻訳されて日本語になったとたん、大学生協や大型書店の奥のほうにある専門書の棚に、ちんまりと収まってしまうというケースがあまりにも多かった。原著者はやさしい言葉で一般読者に語りかけているのに、日本語版はなにやら専門書然としたものになってしまう。

せっかく著者が広く一般読者のために書いているというのに、本来の読み手のもとに届かない――わたしはそんな本の気持ちになって、どうにも悔しかった。どうしてこんなことになってしまうのだろう?

最大の原因は、率直に言って、翻訳のまずさにあった。とにかく、言葉づかいが硬い。しかも、訳文では三回読み直してもよくわからないような込み入ったセンテンスが、英語の原文にあたってみれば、「なんだそういうことか」と、拍子抜けするような簡単な話だったということも珍しくはなかった。こんなの残念すぎる! この状況をなんとかできないものだろうか? がんばって翻訳の勉強をすれば、ひょっとしたらわたしでも、状況の改善に少しは役立てることもあるのでは?

そんなことを考えていたとき、たまたま知り合った某出版社のベテラン編集者に、「一般向けの自然科学書の翻訳をやってみたいと思うのですが……」と相談を持ちかけてみた。すると、「そういう分野は、大学の先生に翻訳をお願いしますから、仕事はありませんよ」と、すげない返事だった。わたしは、「たしかにそれが現状ですよね。でも、それをやっていたのではダメなんじゃないですか？　それに、専門家だから誤訳しないなんてことはありませんよ。専門家に原書をあずけて事足れりとするのは、編集者の怠慢なんじゃないですか？」と、口には出さず（顔には出たかもしれないが）、心中ひそかに思ったのだった。

また、さる英文学の教授に、一般向け科学書の翻訳を仕事にしたいと思うのだが、と相談を持ちかけたところ、「そんなに翻訳をやりたいなら、悪いことは言わないから、とにかく大学にポストを取ってからにしたほうがいい。翻訳なんて、やりたければいつでもやれるんだから」とのアドバイスをいただいた。わたしは、「たしかに収入という観点からはおっしゃるとおりなんでしょうけど、でも、翻訳って片手間仕事でやれるようなものなんでしょうか？　英文学の分野ならできるのかもしれませんが、物理はダメだと思います」と、これまた口には出さず、心中ひそかに思ったのである。

当時わたしはまだ本格的に翻訳をやったことがなかったのだけれど、どういうわけか、「翻訳をなめたらあかん！」という強い確信があった。ちなみに、自然科学系の研究者は、日常の議論こそは日本語でやっているが、論文の読み書きは英語でやっている。だから、翻訳なんてできて当たり前だと思っている。でもわたしは、専門教科書ならいざしらず、ポピュラーサイエンスの翻訳は、できて当たり前などということはありえないと思っていた。なぜならポピュラーサイエンスは、知識を伝えるだけのものではないからである（もちろん、知識を伝えるのが主たる目的の場合でも、翻訳による読みやすさの劣化は大きな問題なのだけれど）。

ポピュラーサイエンスは、科学の進展によって世界の姿が明らかになるときのワクワクドキドキ感や、研究の最前線を切り開くテクノロジーのこと、あるいは困難に挑む研究者たちの人間ドラマ……そういった科学にまつわるもろもろのことを読者に伝えようとする。そういった内容を咀嚼（そしゃく）し、日本語で表現していくことが簡単な作業であるはずがないのでは？

結局、わたしは翻訳の世界に飛び込み、どうやらこの仕事が性に合っていたらしく、気がつけば三十年が経とうとしている。いまやまわりを見渡せば、プロとしてポピュラーサイエンス本を扱う翻訳家が大勢いる。なかには、とくに理系のバックグラウンドをもたない文学部出身でありながら、重厚な科学読み物の翻訳を次々と世に送り出している人もいる。原文を読み取る力があれば、そしてわからないことは調べて勉強する力があれば、サイエンスといえども、専門の研究者である必要はないということだろう。

さて、時の流れに思わず感慨にふけってしまったが、ここで一冊、「これぞポピュラーサイエンスの醍醐味！」と思う本を紹介させていただきたい。タイトルは『数学の大統一に挑む』。著者はエドワード・フレンケルという、旧ソ連生まれの数学者である。子ども時代のフレンケルは、物理学（とくに量子物理学）に強く心を惹かれていたが、ちょっとしたいきさつで数学の魅力に引き込まれる。そして、数学者になりたいという夢を抱いた彼としては当然ながら、純粋数学を学べる最高学府としてモスクワ大学を受験する。しかしフレンケルはユダヤ人の血を引いていた。そしてモスクワ大学には、隠然たるユダヤ人差別が存在していたのである。彼はその差別に無惨にも叩き潰されてしまう――入試の口頭試問で、反則技というべき超難問を次々と繰り出され、それらに(なんと!)完全解答したにもかかわらず、門前払いを食らわされてしまったのである。

フレンケルはやむなく工学系の大学に入学し、純粋数学者になるという夢は潰え去ったかに思われた。ところがそれからわずか数年後に、彼はハーバード大学客員教授としてアメリカに招かれることになったのだ。いったいその間、彼の身に何が起こったのだろうか? なぜ彼は、将来に何の光も見えないにもかかわらず、数学をやめなかったのだろう?

『数学の大統一に挑む』には、逆境の中、数学者への道に踏み出したフレンケルの劇的な生い立ちから、彼を数学研究の最前線に連れ出してくれた数学者たちとの出会いが描かれており、それだけでも胸を打つ読み物になっている。しかしそれだけでなく、フレンケルは本書の中で、「ラングランズ・プログラム」という現代数学の最前線へと、読者を案内しようとするのだ。ラングランズ・プログラムは、二十世紀に数学に登場した思想の中でも、もっとも重要なもののひとつとされ、有名な「フェルマーの最終定理」がついに証明されたことも、そのプログラムの一環と見ることができる。

もちろん、正攻法で数学の知識を積み上げながらラングランズ・プログラムにまでたどり着くのは、土台無理な話である。実際、本書の数学的な内容を隅から隅まできちんと理解するのは、プロの数学者にとってさえ難しい、とフレンケルは言う。それでも彼は、ラングランズ・プログラムの到達点から望む壮大な眺めや、そこに現れる関係性の美しさとエレガンスを感じ取ってもらうことなら、きっとできると信じているのである。

油絵なんてただの一度も描いたことがないという人でも、レオナルド・ダ・ビンチやベラスケスやフェルメールの作品の前に立てば、きっと何かしら心を動かされるのではないだろうか？　楽譜を読んだり楽器を演奏したりすることが苦手でも、音楽が大好きだという人は多いだろう。それと同じように、数学の美しさやエレガンスも、きっと感じとってもらえる――その思いが、彼にこの本を書かせたのである。

これこそは、ポピュラーサイエンスの醍醐味ではないだろうか？　論文でも教科書でもなく、ポピュラーサイエンスだからこそ伝えられる熱い思いがあるのではないだろうか？　本書は、フレンケルが数学に宛てた――そして読者に宛てた――ラブレターなのである。

わたしはフレンケルの本を訳しながら、ちょっとしたエピソードに心を動かされたり、なんということはない場面で、突如として涙腺が緩み、自分でもびっくりするという経験を何度も何度もさせられた。そうしてしみじみ思ったのは、ああ、わたしはやっぱり、科学（数学を含む）が好きなのだ、ということだった。生い立ちも経歴も、何もかもが違っていても、フレンケルがこの本を書き、それをわたしがこうして訳しているのは、科学が好きだから、そして科学のことを知ってほしいという思いがあるからなのだろう。なんといっても、翻訳者としてのわたしの出発点は、「いわゆる「理系」ではない人たちにも、もっともっと科学の本を読んでほしい」という思いだったのだから。「翻訳をなめたらあかん！」という確信は、今もまったくゆるがない。というより、なめるもなにも、翻訳が何をするものなのかが、わたしにはいまだによくわからないのである。三十年近くも続けてきてわからないというのは、ちょっと情けない気もするが、そんなものなのかもしれないと思うし、それならそれでいいではないか、とも思う。わたしはどうやら翻訳が好きなようだし、科学は間違いなく好きだ。そして、科学のことを多くの人たちに伝えるために役立てるのなら、それが本望なのだから。

あおき・かおる
１９５６年、山形県生まれ。京都大学理学部卒業、同大学院博士課程修了。理学博士。翻訳家。物理学から数学、分子生物学、科学哲学まで、幅広く一般向け科学書の翻訳を手がける。著書に『宇宙はなぜこのような宇宙なのか』（講談社現代新書）がある。「幅広い層に数学への興味を抱かせる本を翻訳して、数学の普及に大きく貢献している」として、２００７年の日本数学会出版賞を受賞。

送り手に聞く①

科学絵本のアプローチ

送り手……山形昌也
（福音館書店「かがくのとも」元編集長）

イワシ
むれで いきる さかな
月刊かがくのとも　2013年5月号
大片忠明さく

1969年創刊当時の背景を教えてください。

当時の時代背景は、旧ソ連とアメリカの冷戦があり、宇宙を巡って旧ソ連のスプートニクとアメリカのアポロ、どちらが先に月へ行くかを争っていました。高度経済成長に向かって地球規模で伸びて行く時期、科学の力によって21世紀が開かれると皆が期待していました。しかし人工衛星の打ち上げでソ連に先んじられた、いわゆる〝スプートニク・ショック〟により、アメリカでは子どもたちへの科学教育を見直さなくてはいけない、という気運が高まったといいます。その結果、子ども向けの斬新な科学書が出版されるようになりました。

典型的な例は当社で今も刊行し続けている「世界傑作絵本シリーズ」の一冊、『はなをくんくん』です。冬ごもりをしたクマやリス、カタツムリやアナグマ……モノクロ一色の雪景色の中、いろいろな動物たちが、鼻をくんくんさせながら目覚め始める様子が描かれます。雪の中で鼻をくんくん、鼻をくんくん。最後のページを開くと、最初に春を告げる花が一輪咲いていて、そこだけに色がついています。それで終わり。動物たちが移ろいゆく自然のなかで、春の訪れを発見し喜ぶ様子が描かれた、すぐれた物語絵本でもあります。この作品がアメリカでは幼児向けの科学絵本としても評価されているのを当時の編集部が知ったのが大きな契機でした。その後、議論を重ね、科学絵本の新たな可能性を信じて「かがくのとも」が創刊されました。そうして2010年11月で500号を迎え、間もなく創刊から50年が経とうとしています。

どのように本づくりが進むのですか。

まず編集部でテーマを決めるところから始まります。5、6歳の子どもにとって身近なものは何か。子どもたちがパッと食いつくテーマであり、読み終わった時に、できればこの絵本で描かれた世界観を自分が生きている世界で追体験できるようなもの。幼稚園での子どもたちとの何気ない会話のなかに、新しく面白いものを見つけることもあります。もちろん「こんな本つくってよ」なんて、そのまま使えるアイデアを貰えるわけはありません。でも子どもが遊ぶ風景のなかに、テーマは無限に隠されています。たとえば会議室のような素っ気ない場所でも、カレンダー、時計、空気、会話、見る……自分がその気になればなんでもテーマになります。

大人の本から書き手を探す時は、その方が伝えるべきメッセージを、ご自分の言葉で持っているかを重視します。研究内容でも普段のフィールドワークでも、もちろんたいがいの方がそれぞれのメッセージを持っているのですが、それを人に伝える言葉として紡いでくださるかは別の話です。子どもたちに伝わる筆力の有無は、ある程度書いていただかないと分かりません。よくあるのが、妙に子どもにおもねてしまうケースです。たとえばページをめくると「きみたち、知っているかい？」と博士が登場して説明を始めてしまう。そんなふうに無理に子どもの土俵に降りていこうとするのではなく、ごく客観的に書いて頂くようにします。

「かがくのとも」は全28ページ、つまり13見開きです。欲張っても、そんなに多くの中身を盛り込めません。ましてや読者が5、6歳の子どもですから、二兎を追う者は一兎も得ずということにならないよう、絵本に込めるメッセージを絞ります。

たとえばこの『イワシ　むれで　いきる　さかな』なら「イワシは群れて生きる」というたった一行。「群れ」という生物界での生存戦略を紹介する絵本です。それがどういうことなのかを、ストーリーを通して感じさせる。それ以外の、イワシが何科なのか、イワシにはどんな仲間がいるかなど、物語に不要な情報はすべて削りました。この本で感じてほしい驚きや発見を際立たせる上で必要な知識なのか、ストーリーにとって障害物になる情報なのかを精査し、どんどん研ぎ澄ませます。情報を知ってほしいのではなく、驚きや発見を通じて、作者や編集部が読者に感じてほしい一つのメッセージが伝われば充分です。

あとは、文章と絵の書き手が別の場合、基本的には文章を先に作ります。ビジュアルは絵が多く、写真はめったにありません。写真はリアルを伝える強さがありますが、想像させる力において絵にはかなわないと思います。絵本は、子どもが想像力を働かせながらストーリーに入っていくものだと思いますので、絵の方が適している場合が多いのです。それに、写真はリアルゆえに、何となく見たことがあるような気になってしまうのも怖いところ。そうではなく、絵本を閉じたときに、物語が終わった満足感とともに「いつか本当に見てみたい」と思ってほしいのです。

扱わないようにしているテーマはありますか。

メッセージとして暗いもの、子どもたちが未来に対して明るい希望を持てないようなテーマは扱わないようにしています。

以前、ある団体が小学生を対象に行った「21世紀の夢」というテーマの作文と絵画のコンクールを見る機会がありました。「動物とドリトル先生のように話せる翻訳機」「一足飛びで遠くまで行ける靴」など、半分は僕たちの時代とさして変わらない、夢のある作品がある一方で「オゾン層を再生する機械」「歩けないおばあちゃんを助ける歩行ロボット」など「環境問題」「高齢化問題」といった時代を色濃く反映した作品が多数あって驚きました。子どもたちは、別に習ったわけでも、問題の中身を理解しているわけでもないのに、「なんか地球はやばいぞ、未来はやばいぞ」という気運を感じているのです。

当時、多くの科学絵本で、夕焼け空に動物のシルエットがあり、「生き物たちは今、どんどん少なくなっている。この美しい地球を守らなければ」といったエンディングがはやっていました。僕らは〝夕焼けパターン〟と呼んでいました。自分は小学3～4年生向きの月刊科学絵本「たくさんのふしぎ」に所属していたのですが、そもそも大人ですら解決できない問題を、子どもへ直接投げかけるのは無責任だし、未来に不安を持つようなメッセージを投げかけてどうする、と議論になり、「たくさんのふしぎ」では夕焼けパターンをやめました。同じことを「かがくのとも」でも意識しています。本の中で生き物が死んだとしても、ただ死んで終わるのではなく、その死が次の生へとつながるように、未来への希望と喜びが広がる工夫をしています。

他にはこれといった制約もなく、みなさまざまなジャンルにアンテナをはりながら、2週間に1度編集会議で侃々諤々（かんかんがくがく）やっています。

近年で目立った変化があれば教えてください。

読者対象は同じでも、時代によって作り方は変わります。今はまず「見る」ことの重要性が高くなっています。子どもたちの身近に自然が少なく、直接「見る」機会が格段に減っているからです。たとえば「のはら」という言葉は絵本によく出てきますが、あるとき「野原って、まだあるかな？」という話になりました。住宅街に空き地があり、そこには遊び場となる土管があって、さまざまな雑草が茂っている。そんな環境がいまあるでしょうか。こんなふうに共通のイメージがすでにない言葉もあります。すると言い換えるか、絵でそれをきちんと描かないと、言葉だけではイメージが動き出さない。身近な自然体験が減っている以上、絵本の中でテーマを、まずはじっくり「見る」。それによって、存分に疑似体験してほしいと思っています。

「科学」をどのように捉えていますか？

雑誌名に「かがく」が付いているので、「科学って何だろうね」とは編集部でも話しますが、編集部内で科学の定義はあるようでありません。「科学」とは自分の心の外側、この世界を知ること。その点からすると5、6歳の子にとっては生きること自体がすべて科学だと思うからです。

あるとき3歳の娘が、窓のすき間から細い光の帯が差し込むのを見ているうちに、そこに浮かぶホコリが光をキラキラ反射しているのに気づき「きれいね」と、ずーっと見ていました。この世界を見つめ、発見し、感動している。これが科学の入り口だと思います。こういう子どもの反応に対し、大人が「これはホコリだよ。ホコリが光を反射しているんだよ」と知識や情報を教えるだけでは、子どもの目の輝きを失わせることになります。「きれいだね。なんだろうね。どうして揺らめいているんだろうね」と、寄り添いながらその面白さを広げてあげたいと思います。

そうやって物事を、見て、考え、確かめて、知ることにより、新たな世界への見方を得ることになります。科学はそうやって、自分がいる世界の見え方が広がることだと思います。

虫や道ばたの雑草から、素粒子や地球の内部構造や宇宙まで、この世界のすべてが、見方を変えれば、自分がいま生きていることと関わってきます。そういう関わりを多く感じられるほど、生きていることが楽しくなります。そういう物の見方を伝える、それが科学絵本の役割だと思います。

科学本の読みかた①

巨人の肩によじのぼろう

「そもそもどうして？」を手がかりに

本書のはじめに、科学とは自然に関する未知と取り組む学問だと述べました。また、この本は、科学書との出会いを通じて、そうした未知に触れる旅に出るためのものでもあります。

ところで未知には大きく二種類があります。一つは個人にとっての未知。もう一つは人類全体にとっての未知です。

例えば、学校や教科書で習う物理学や化学、生物学といった理科系の科目では、自然に関わる謎のうち、これまで人類が明らかにしてきたこと、さしあたり共有しておきたい基礎知識を扱っています。それは人類にとっては既知のこと、でも個々人にとっては未知かもしれない事柄です。私たちは、そのようにして先人が明らかにしてきたことを知識という形で受け取って、さらにその先を見晴らす手がかりを得ています。そのこと

を「巨人の肩に乗る」とたとえたりもします。個人の未知を既知に変えることは、言うなれば巨人の足下から肩のほうへとよじのぼっていくようなものだというわけです。

巨人の肩に乗るにはいろいろなコツがあります。なかでも大切なのは動機です。ある科学の知識に接する際、研究で明らかになった結論や知識を受け取って理解することももちろん重要です。それに加えて、そもそもその発見をした人は、どうしてそんなことを考えてみたかったのか、どんな疑問に取り憑かれていたのか、そうした動機が分かると、結果を知識として覚えるのとは違って、いっそう理解が深まるものです。

例えば、万有引力の発見で知られるニュートンがいます。彼はそもそもどうしてそんなことを考えてみようと思ったのでしょう。もしニュートンを研究へと向かわせた疑問を知り、さらには共感できたら、彼の探究の道筋や最終的に到達した結論についても、きっと見え方が変わるはず。「そうか、そういうことを知りたくて、こんなことを考えたんだ！」と腑に落ちるに違いありません（気になったら、ぜひ調べてみましょう）。

謎はどこにある？

以上は個人の未知についての話でした。他方には、科学のさらなる醍醐味があります。いわば巨人の肩に乗った後のこと。そう、人類全体にとっても未だ解明されていない謎が視界に入ってきます。例えば、この宇宙をかたちづくる究極の素粒子の正体は、まだ探究の途上にあります。あるいは、心と脳はどんな関係なのかというこれまた大きな謎は、目下解明の努力が重ねられているところです。

これはほんの一例です。さまざまな科学の分野を見てゆくと、どの領域にも人類にとっての未知が横たわっている様子が見えてきます。言い方を換えれば、未知の謎があるからこそ、その解明を目指して研究が進められているわけです。科学とは、人びとが力を合わせて（時に競争しながら）そうした未知に挑み、試行錯誤を重ねる学問なのです。

さて、こんなふうに未知を二つに分けて考えてみました。本書でご紹介する優れた科学書は、読者を巨人の肩に登らせてくれるばかりではなく、肩の上から、まだよく見えていない謎のありかを教えてくれます。それは、既知と未知の境界線がいまどこにあるのかを指し示して、「ほら、見て、あそこに興味深い謎があるよ！」と示すことでもあります。ひょっとしたら、そうした人類にとっての未知に触れた読者のなかから、その謎に挑戦する人が出てくるかもしれません。

CHAPTER II

生命のふしぎ、心の謎

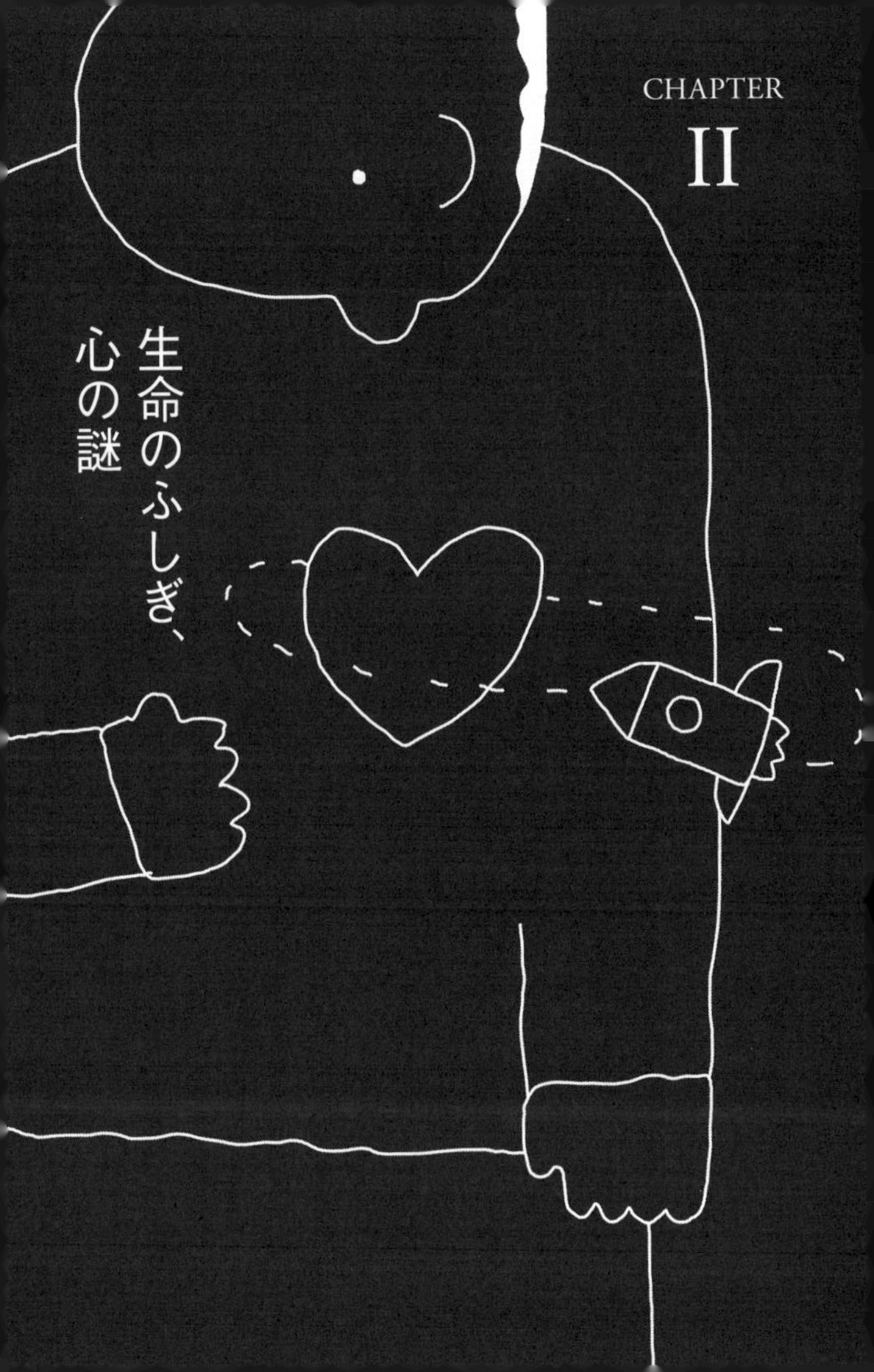

8 心はどこにあるのだろうか？

選者……山口 創（臨床発達心理士）

1冊目

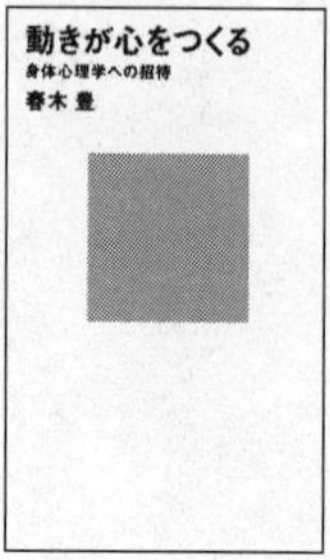

動きが心をつくる
：身体心理学への招待

春木豊著
講談社現代新書、2011年刊

「私たちは悲しいから泣くのではなく、泣くから悲しくなるのだ」。19世紀後半に活躍した、心理学者ウィリアム・ジェームズの言葉である。私たちの心というものは、身体の変化が最初に起こり、心はその結果として生まれることを主張したものである。

本書『動きが心をつくる』はこのような独自の視点から心の本質に迫る書である。ゾウリムシなどの単細胞生物の行動から人間の行動に至るまで、心の根源にあるのは身体（の動き）にあると著者は主張する。つまり動物とはそもそも「動く物」を指すのであり、脳や心がなくても動いて環境に適応しているではないか。一方で脳は生物進化の後半から生まれたのであり、多くの動物は脳がなくても十分に生きているではないか。心は進化の過程のいずれの段階から生まれたのかはわからないが、脳がその唯一の在り処なのではない、と主張するのである。

このように考えると、私たちの心を追究するやり方として脳を探っていく方法は必ずしも唯一のものではなく、むしろ身体に注目すべきであることになる。

それでは身体から心を追究するやり方として、どのような方法があるのだろうか。たとえば呼吸である。呼吸は心と緊密な関係にある。たとえば緊張すると呼吸は浅く速くなる。そこで逆に呼吸をゆっくりと深くしていると、心は落ち着いてくる。このように心の変化が身体に表れるとすれば、それとは逆に身体を変化させることで心の変化が生まれる。これが著者の創った身体心理学である。本書では呼吸以外にも、表情、発声、姿勢、歩行といった日常での身体の動きをとりあげ、その結果起こる心の変化について、数々の実験結果をもとに平易な言葉で紹介している。

身体心理学ではさらに対人空間（パーソナルスペース）、身体接触（タッチング）といった社会的次元についても検討している。これらは心理学では非言語コミュニケーションといわれ、言語以外のコミュニケーション手段として扱われている。しかし身体心理学の観点からは、身体こそが心の舞台であり、「言語以外の」手段といった不名誉な接頭語は不要である。むしろ豊富な動物行動の例から、身体を介して行われる、人間にとって本質的なコミュニケーション手段であると位置づけている。たとえば対人空間は動物のテリトリーを守る行動であり、身体接触はサルのグルーミングにみられるように、仲間同士の関係を調節する大切な役割を担っている。私たちの日常でも、混雑した電車ではイライラして攻撃的になるし、握手やハグは親密な関係を築く大切な手段であろう。またSNSやメールでの文字によるコミュニケーションの中に、多彩で繊細な顔文字やスタンプを入れることで、気持ちを精確に伝えようとするのも、私たちが非言語の情報に価値を置いている証拠ともいえるだろう。

さて心と身体を媒介する手段は何であろうか。著者はそれを身体感覚であると考える。身体は「体」、感覚は「心」の領域に属するものである。だからこそ、身体感覚を覚醒させることが、心と身体をつなぐことになるわけだ。それではどのように身体感覚を覚醒させることができるだろうか。そのやり方の詳細は、本書の中で具体的に紹介されているのでぜひやってみて頂きたい。

それにしても身体感覚に関する著者の考察は、心を扱うすべての輩(やから)にとって傾聴に値する。著者は、従来の科学的思考がそうであるように、心と身体を分けて考えてしまっては、本来の人間の姿を捉えることができないと考え、これを西田幾多郎の純粋経験になぞらえて批判する。純粋経験とは主観や客観を議論する以前に、「経験」があるとする考えである。つまり、「自己があって経験する」のではなく、「経験があって自己がある」のである。心と身体についても同じように、心を主体、身体を客体として置き換えてみる。つまり主体としての「心」が客観的な対象として「身体」を捉えるのではなく、身体を経験するところに心があるのである。著者はこのように心と身体がまさに一つになった状態を「相即（そうそく）」とよび、これが仏教の心身一如（いちにょ）であると考える。「花を見て美しいと感じる経験」は、言葉で表現することはできるが、経験そのものは体験するほかはない。同じように身体を研究対象としようとした時点で、身体は客体化し、身体そのものの体験は置き去りにされる。ここに身体感覚を扱う難しさがある。

この自己批判的ともいえる指摘は同時に、心を科学で捉えようとする心理学の限界を指摘したものであるともいえるだろう。

著者はこのような主客未分化な身体の経験を具体化しているものとして、「からだ言葉」をあげている。たとえば「腰が低い」、「肩の荷を降ろす」といった言葉である。著者はからだ言葉を使った「足早に過ぎる」と、からだ言葉を使わない「年月が速やかに過ぎる」を比較すると、前者の早足で歩く時のあせる感じや感覚が、より実感を伴って感じられると例示している。このようにからだ言葉は、体、動き、心を一つに込めた日常の経験から成り立っている日本に古くからある言葉である。ここから日本には心と体を一つとして捉える伝統があったことがわかる。

しかし著者が指摘するように、最近からだ言葉はあまり使われなくなってきた。それは社会全体が身体よりも言葉をより重視する傾向が顕著になってきたためであろうとしている。現代社会は人間が本来もつ身体性、そして身体から沸き起こる情動や、身体を介してのコミュニケーションなどを理性の下に管理する形で抑え込んできた。その行き着く先はどのような社会であり、そこではどのような人間がどのようなコミュニケーションをしているのか、憂えずにはいられない。

人間は本来、他者と腹がよじれるほど笑ったり、声を重ね合わせて歌ったり踊ったりすることで、他者と同化することに喜びを覚える生き物だろう。身体心理学は、生き様の変化や対人関係の希薄化といった現代を生きる私たちに、身体を取り戻そうという解決策を打ち出している。日本に伝統的に伝わる芸道である茶道、武道、華道、能や狂言などは、まずは形から入れと言われるが、それも一理あることがわかる。また言葉で自己を主張することに価値をおく西洋と異なり、日本人は「阿吽（あうん）の呼吸」で「相手の気配を読む」ことをよしとする文化である。そこでは「肌が合う」かを手掛かりに「腹を割って話をする」ことで「気心知れた」関係になることが求められよう。

以上のように本書が目指す身体心理学は、身体を物質に還元する自然科学の枠組みにはまらず、そうかといってかつての行動主義にみられたような、身体（行動）を心への機能として道具的に扱う機能主義の立場に立つこともしない。心身一如という古くて新しい視点で現象学的に人間を考えることの重要性を提示してくれる。

現在では東洋の瞑想や座禅といった身体技法が欧米でも注目されている。日本に古来伝わる心身一如の身体文化の良さを、見直す時が来ていると思う。身体心理学とは、このような時代において単に心の基礎を探求する学問であるだけではなく、手探りで生きる私たちの心の闇の一隅を照らす学問でもある。

2冊目

岩波科学ライブラリー 112
SCIENCE
皮膚は考える
傳田光洋

皮膚は考える
傳田光洋著
岩波科学ライブラリー、2005年刊

「皮膚は脳である」、と聞くと多くの人は「なに言ってるんだ?」と思うだろう。

しかし本書を読むと、皮膚は脳と類似した実に多彩な機能をもつことに驚かされるだろう。

著者は「皮膚はそれ自体が独自に、感じ、考え、判断し、行動する」と主張する。その根拠に、皮膚は脳と同じく電気仕掛けであり、さまざまな情報伝達物質を合成し放出していること、皮膚はホルモンも合成しているなどの事実があげられ、さらに脳には記憶や学習にかかわるNMDA受容体が多くあるが、同じものが皮膚にもあるというのだ。

これらの事実から、私たちの皮膚に対する見方、つまりは「皮膚は脳の指令に従って活動している」、あるいは「内臓や心の状態が皮膚に表れる」といった知識を根底から覆し、逆に「皮膚が脳を支配し」、「皮膚が心や内臓に影響を与えている」といった見方が正しい可能性があることがわかる。さらには皮膚に秘められた未知なる能力に着目すると、鍼灸（しんきゅう）などの統合療法のメカニズムも解明されるかもしれない。つまり統合療法の治癒のメカニズムは、皮膚を含めた体内臓器の間の複雑なやり取りの結果起こるものであり、従来の科学的な方法論である直線的な因果論では説明できない現象である、と著者は主張する。

　皮膚に秘められた未知なる可能性を追究していく研究者の人間ドラマとしても楽しむことができるだろう。

3冊目

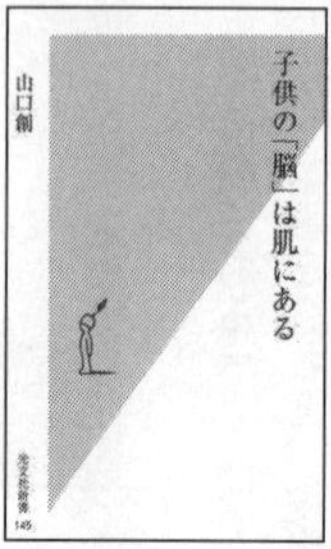

子供の「脳」は肌にある

山口創著
光文社新書、2004年刊

かつての日本では、子どもは常に抱っこやおんぶをされて育った。それは子どもにとって大切な意味をもっていた。しかし現代の育児は、移動はベビーカー、子守りはゲームやテレビ、泣き止ませアプリといったように、親子の身体的な関わりはますます希薄化している。その結果として、親子の愛着は不安定になり、虐待的な育児が増加するなど、子どもの成長にとっては少なからぬ影を落としている。

　本書は子どもの心の発達や親子の愛着にとって、皮膚に接触することの重要性について、様々なデータを基に主張した書である。「皮膚は露出した脳」といわれるように、スキンシップは子どもの脳に多大な影響を与えていることが、豊富な研究や事例から紹介されている。

　本書によれば、子どもに触れることは子どもとの安定した愛着の絆（きずな）を築き、子どもの情緒を安定させ、攻撃性を低下させ、自尊感情を高める。発達障害の症状も軽くなる。さらに驚くべきことに、幼少期に親との身体接触が少なかった子どもは、成人後に抑うつや摂食障害などの心の不適応になりやすいことや、成人後も人との親密な関係を築くことが苦手になるといったように、その影響は生涯にわたり続いていくのだ。

　幼少期の子どもとのスキンシップを侮ってはいけない。子育て中のすべての人に読んでもらいたい。

やまぐち・はじめ
1967年生まれ。桜美林大学リベラルアーツ学群教授、臨床発達心理士。早稲田大学大学院人間科学研究科博士課程修了。専攻は健康心理学、身体心理学。身体心理学の第一人者として皮膚刺激が身体と脳に与える影響を研究する。著書に『手の治癒力』（草思社）、『皮膚感覚の不思議』（講談社）、『子供の「脳」は肌にある』（光文社新書）、『愛撫・人の心に触れる力』（NHKブックス）など多数。

9　動物はどんなふうに働いているのか？

選者……本川達雄（生物学者）

1冊目

動物生理学
：環境への適応
クヌート・シュミット＝ニールセン著　沼田英治、中嶋康裕監訳
東京大学出版会、2007年刊

生物は働く、つまり機能している。機能とは目的を伴う言葉である。車は人や荷物を運ぶという目的のために作られたものであり、その目的のために、エネルギーを使って動くという働きをする（機能をもっている）。それに対して、台風もエネルギーを使って動いているが、働いているとは言わない。台風には目的がないからである。取り上げた3冊は、生物のもつ目的と、目的に合わせていかに上手に働いているかに関するもの。生物の目的とは何か、どんなふうに動物は目的達成のために、それぞれの生きている環

境の中で働いているかがこれらの本のテーマである。

まず、生物がどんなふうに働いているかに関する著書を取り上げよう。動物生理学の教科書である。冒頭に「生理学とは生きものの機能、すなわち、生きものがどのようにして食べ、息をし、動きまわるのか、そして生きていくために何をしているのかを知ることである。生理学はまた、どのようにして生きものが困難な環境に適応しているのかを研究する」とある。「生きていくために（……）」とは「生きていくという目的のために」、そして「適応」とは、生き残って子孫を残すことである。おすすめ本の３冊目（本川）の言い方に従えば、子孫までも含めての「私」が、さまざまな環境で生き続けていくために、どういう工夫をしているのかが本書の主題となる。

著者は１９１５年ノルウェー生まれ。デンマークで学位をとり、第二次世界大戦後アメリカに移って、長らくデューク大学の教授だった（戦時中はナチに対するレジスタンスをやっていたらしい）。彼の自伝『ラクダの鼻』はこんな文章ではじまる。「学校の主な機能は、子供たちに疑問をもたせないだけの知識を与えることだと言われてきた。学校がそれに成功しなかった子供が科学者になる」。子供は「なぜ?」と問うものであり、それを問わせなくするのが学校というもの。シュミット＝ニールセンは生涯、なぜ?を問い続けた人だった。その彼が書いたのだから、本書が面白くないわけがない。彼のなぜ?　が、充(み)ちみちているのが本書である。

本書には彼の研究成果が随処に盛り込まれている。彼は「飛ぶ鳥は息ができるのか？」と問いかけた。口を開ければ空気は入ってくるだろう。でも飛んでいる最中、顔にかかる風圧に抗して、どうやって息を吐き出せるのだろう？　そこで彼は鳥の詳細な解剖を行い、それをもとに、鳥の肺はわれわれのもののように空気が出たり入ったりと方向を変えるのではなく、肺の中は一定方向に空気が流れるように、そして口からはちゃんと息を吐き出せるように、肺に附属している複数の気嚢（きのう）が働いているというモデルを提出した。また彼は、海鳥は海水を飲むのか？　と問いを発した。動物は水がなければ生きていけない。海は水だらけなのだからそれを飲めばいいじゃないかと思うかもしれないが、海水は鳥の体液より塩分濃度が高いから、飲んだらかえって細胞から水を失うことになる。さあどうしているのだろうか？

水がない場所といえば砂漠。カンガルーネズミは水を一滴も飲まずに生きていける。シュミット＝ニールセンはアリゾナの砂漠で、この動物の行動観察からはじめ、鼻に対向流があることなど、砂漠への適応のしくみを発見していった。個々の動物の特殊事情を明らかにしながら、対向流という一般原理につなげていったのである。対向流とは、逆向きに流れる二つの管を並行に密着して並べ、熱や物質などを、温度や濃度の高い方の管から低い方の管へと勾配に従って移動させるシステムで、これはツルの脚やイルカのヒレにおいて、外の低温の海水で冷え切った血液が直接体の中心部に入って行かないようにする熱交換器として働いたり、魚の浮き袋に気体を溜めるところや、腎臓の尿をつくるところで見られたりと、動物のさまざまな場所で働いていると本書で説かれている。一つの原理が、多様な動物の多様な環境への適応の仕方を説明する。

環境は多様である。それに適応しているのが生物なのだから、生物も多様。多様性が生物の大きな特徴なのだが、おかげで生物学の教科書は雑多な知識がごちゃごちゃと詰まったものになりやすい。ところがシュミット＝ニールセンにかかると、すっきりとしてしまう。

たとえば動物の排出器官のところ。「実にさまざまな排出器官があるが、排出される液体の形成をになっているのは、原則として、たった二つの基本的過程に限られる。それは限外濾過と能動輸送である」と、まず原理は二つと押さえておいてから各論に入る。そしてその各論が面白い。

少数の原理とそれらの多様な応用例をあげていくというのが執筆の基本姿勢。だから本書はすっきりと理解でき、それでいてじつに話題が豊富で読んでいて飽きない。これだけ大部の教科書でも、わくわくしながら最後まで読み通せる。

本書の大きなテーマは環境への適応の生理機構だが、その際、まず生きものをとりまいている空気と水の物理化学的性質の違いを簡潔に述べ、その違いがあるからこそ、陸上の動物と水中の動物のやり方がこれほど違うのだということを分かりやすく解説する。

たとえば体温を一定に保つ方法。熱伝導率は、水が空気より25倍も高い。だから水中では熱が奪われやすく、クジラやアザラシ（水生の恒温動物）は分厚い皮下脂肪層で熱が外界へ逃げにくくしている。陸上の恒温動物は、空気の低い熱伝導率を利用する。毛皮の毛の間に空気をとらえて、それを断熱材として使うのである。こうすれば安上がりに防寒ができる。毛が長いほど空気の層は厚くなり断熱効果が高い。ところがネズミのような小さなものでは、毛が長すぎると毛に埋もれて身動きがとれなくなるため、毛の長さには制限が生じ、その結果、耐えられる寒さにも限界が出てしまう。そこで多くの小さなものたちは、冬場には体温を下げて冬眠することになる。

サイズは水生動物の場合にも関係する。小さいものは分厚い皮下脂肪をもつことは不可能であり、そのため、ほとんどの水生動物は体温調節を行わず、体温は外界の水温と同じである。それでも彼らは大丈夫。水の比熱は空気の4倍もあるため、そもそも外界の温度が変わりにくく、陸上のものほど体温調節の必要がないだろう――とこんなふうに、水と空気の物理的性質で、多様な生物のありようをすっきりと説明していく。

すべてを一つの原理でスパッと割り切って統一的に理解したがる傾向の人と、こんなものもある、あんなものもいると、多様さや特異性を楽しむ傾向の人がいる。前者が物理学者、後者は生物学者に多く見られるタイプだろう。シュミット＝ニールセンはこのどちらか一方に偏らずに仕事をすすめていく、バランス良く世界を見通す強靱（きょうじん）な知性をもった巨人だった。

若い頃、原書を読んで感激した教科書が2冊ある。本書の初版とファインマンの『物理学講義』。どちらも読み進むにつれ頭のもやもやがなくなり、脳みそがカチッと透明になっていくように感じられた。読みやすい英語で書かれてあり、英語に自信がついたのもこの2冊だ。ただしこんな分厚い本を英語で……と躊躇(ちゅうちょ)する方もおられるだろう。その方々には同じ著者の「How animals work」*を強く薦めたい。これは薄いがまさに小さな宝石、生物学の珠玉の傑作である。

* Knut Schmidt-Nielsen, "How animals work", Cambridge University Press (1972).

2冊目

これが生物学だ

：マイアから21世紀の生物学者へ
エルンスト・マイア著　八杉貞雄、松田学訳
シュプリンガー・フェアラーク東京株式会社、1999年刊

生物学は生物を対象とした科学。無生物と生物の間には大きな違いがある。結果として生物学は他の科学とは異なる面をもつ。そこをはっきり教えてくれるのが、鳥の分類学の泰斗(たいと)であり科学哲学に造詣の深いマイアによる本書だ。

物理や化学現象にはそれ自身の目的がない。なぜ物が落ちるのかと問われ、万有引力が働くからと答えても、なぜ万有引力があるのかと畳みかけられれば答に詰まる。目的のないところに、なぜへの答はないからである。物理学が問えるのは「どんなふうになっているのかｈｏｗ？」だけだ。

ところが生物は進化により、環境に適応している（＝環境の中で生き残って多くの子を残す）ものとなってきた。だから現時点から振り返ってみれば、生き残るという目的を、あたかももっているかのように振る舞うのが生物なのである。そこで「なぜｗｈｙ？」という問いかけが生物学では可能になる。もちろん生物も物理・化学の法則に従っているのだから、ｈｏｗを問うことも可能なことはシュミット＝ニールセンの本で見た通り。ｗｈｙもｈｏｗも、両方問えるから生物学は面白いのだ。

われわれ人類の世界は、まさに目的・思惑・欲得ずくのものである。それを扱う文科系の科学は目的だらけの世界。他方、ほとんどの自然科学は無目的な世界。この二つを橋架けできるのが生物学なのだという、生物学の大きな可能性を示唆してくれるのが本書である。

3冊目

生物多様性
：「私」から考える進化・遺伝・生態系
本川達雄著
中公新書、２０１５年刊

拙著で恐縮だが、類書がないのでこれを挙げておく。

物理学は統一原理（普遍性・単純性）を追い求めるものである。生物学にもその面はあるのだが、そもそも生物の目立った特徴は多様だということであり、その多様さを記載し、それぞれの多様さに意味を求めるという面も強くもつ。多様性としては、私の中の多様性（子供時代と大人になってからでは体つきも考えも違う）、種内の多様性（同じヒトという種においても、一人ひとりが異なる顔つきをしている）、種の多様性、住んでいる環境（生態系）の多様性と、さまざまなレベルでの多様性が見られる。そして現在、多様性、とくに種の多様性の急速な消失という、憂慮すべき事態が起こっている。生物多様性に関する本は多々あるのだが、なぜ生物多様性を守るべきかがはっきりと書かれた本はほとんどない。目的の実現に沿う行動には価値があり、そう行動すべきことになるのだが、物理現象には目的がない。だから物理学を手本とする「正統な」科学は目的・価値・べきを扱わないのである。

ところが、生き残ってずっと続いていくという目的が、進化により生じたのが生物。だからその目的に照らして、なぜ生物多様性を守るべきかが論じられるはずだというのが本書の立場である。私とは何かを吟味し、私が続いていくようにできているのが生物だと考え、そのためには生物多様性が大切なのだと著者は説く。

もとかわ・たつお

1948年生まれ。東京大学理学部生物学科（動物学）卒。東京大学助手、琉球大学助教授、デューク大学客員准教授を経て、2014年まで東京工業大学大学院生命理工学研究科教授。現在、東京工業大学名誉教授。専門は棘皮動物（ナマコなど）の研究。著書に『ゾウの時間ネズミの時間』（中公新書）、『ナマコガイドブック』（CCメディアハウス）などがある。

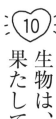

10 生物は、細胞は、果たしてどう進化してきたのか？

選者……武村政春（東京理科大学教授）

1冊目

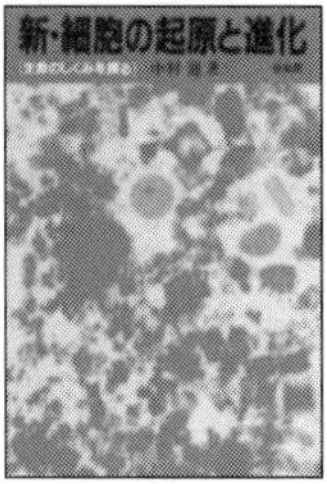

新・細胞の起原と進化
中村運著
培風館、2006年刊

生物の進化、という言葉は何回も聞いたことはあっても、「細胞の進化」という言葉は聞いたことがない、という人は多いだろう。なぜなら、進化するのは生物、しかも私たち人間などの「多細胞生物」だというイメージが念頭にあるからだ。世に氾濫する「進化」という言葉の使い方を見ればおおよその見当はつく。進化する○○（個人名、会社名など）とか、ピカチュウが進化してライチュウになるとか、そういった用法を見ると、あくまでも進化するものは生物（の個体）という扱いだ。もちろん生物学的には、進化するのは個体ではない。進化する最小の単位は生物（の個体の集団）であり、世代を経てはじめてそうなるのだ。加えて生物の進化の歴史上、やはりよく研究され、明らかにされているのは多細胞生物の進化であり、昆虫の進化であり、恐竜の進化であり、私たち人間の進化である。肉眼で認識でき、多様な姿をした魅力あふれる生物の世界というのは、私たちにとってはあくまでも「多細胞生物の世界」だ。顕微鏡を使わないと見えない、ちまちました「細胞」のごときものは、私たち多くの人間にとっては、はっきり言って「アウト・オブ・眼中」（古い！）なのである。細胞の進化、そして「細胞進化学」について熱っぽく語る人間は、「オタク（もしくは理科充）」などとアンサイクロペディアに分類され、冬枯れの中に茫漠とたたずむことを余儀なくされる。

しかし近年、その「細胞」に注目が集まっている。まず医学・生物学の観点から注目されている「iPS細胞」。多細胞生物の体の細胞は、それぞれ何らかの役割に特化した（成熟した）状態になっていて、受精卵だったときのように〝リセット〟はされないというのが常識だったところ、ある遺伝子を放り込めば〝リセット〟が可能になることを京都大学の山中伸弥教授が発見し、そうして作られたのがiPS細胞だ。また、山中教授と共同でノーベル生理学・医学賞を受賞した英国ケンブリッジ大学のジョン・ガードン博士は、カエルの体の成熟した細胞の「細胞核」を、細胞核を取り除いた未受精卵に「移植」することで、成熟した細胞の細胞核を〝リセット〟させることに成功した。やがてこの〝リセット〟が、カエルなどの両生類だけでなく、私たち哺乳類の仲間（ヒツジ）でも起こせることが明らかとなり、さらに遺伝子を放り込むことで人間の細胞でも可能であることがわかってきたわけだ。よく考えてみると、多細胞生物ではない生物、すなわち「単細胞生物」は、たった一つの細胞でできているわけだから、何かの役割に特化してしまってはマズイ。多細胞生物だからこそ、何かの役割に特化する必要があった。ということは、生物の長い歴史の中で、単細胞生物から多細胞生物への進化という のは、生物進化史上、個々の細胞の機能とその〝存在意義〟が劇的に変化したという意味において、極めて重要な一里塚であったといえるわけだが、じつはこの「生物の多細胞化」よりも前に、もっと重要な一里塚が存在していたことは、案外知られていないようである。

僕たち人間も含めて、身の回りにいる生き物のうち肉眼で見える生き物はすべて「真核生物」という生物だ。その名は、細胞の中に「核」があることからきているが、「核」というと核兵器をイメージする人の方が多いと思うので、ここでは「細胞核」と呼ぶことにする。重要な一里塚とは、「細胞核」が細胞の中にできたということ、すなわち「細胞の真核化」である。これこそが、生物の多細胞化より前にあった、生物進化史上の一大イベントだった。なぜなら細胞の真核化により、生物は劇的に多様化する可能性を持つことができたからである。多細胞化も、細胞が真核化したからこそ可能になったと言ってよい。

地球に生息する生物は、現在大きく3つに分かれる。「バクテリア（細菌）」、「アーキア（古細菌）」、そして「真核生物」だ。このうち、細胞核があるのは真核生物だけで、バクテリアとアーキアには細胞核がない（したがって、これらは「原核生物」と呼ばれる）。真核生物は、アーキアとの共通祖先から、アーキアと分岐して進化したものであると考えられている。特に、真核生物がその細胞の中に持っているミトコンドリア（呼吸を行う細胞小器官）や葉緑体（光合成を行う細胞小器官）が、ある種のバクテリアが真核生物の祖先（アーキアとの共通祖先）に共生した結果、進化したものだとする説は広く受け入れられており、「共生説（細胞内共生説）」と呼ばれている。アメリカの生物学者リン・マーギュリス（1938〜2011）によって提唱されたものだ。

共生説は、高校生物の教科書にも掲載されており、ほぼ「定説化」していると言えるが、この仮説に真っ向から反対している研究者がいる。その研究者こそ、ここでご紹介する『新・細胞の起原と進化』の著者、中村運博士（甲南大学名誉教授）である。

中村博士は、わが国における細胞進化学の泰斗で、原核細胞が「真核化」して真核細胞へと進化したメカニズムに関して、ミトコンドリア、葉緑体、そして細胞核の「膜」に着目し、もともと細胞膜が内側に入り込んでDNAと結びついていた「メソソーム構造」が、やがて細胞膜から切り離されて細胞内部に入り込み、それぞれDNAをもつミトコンドリア、葉緑体、細胞核ができたとする「膜進化説」を提唱したことで知られている。

本書は細胞とは何か、進化とは何かをおさえた上で、細胞が生まれる前の化学進化から、遺伝子の進化、代謝の起原と進化を、それぞれ一歩ずつ着実に説明しながら、細胞小器官、そして真核生物の進化のあらましが滔々と語られたものであり、細胞進化学の面白さのエッセンスを十二分に含んだ良書である。私自身、細胞の真核化、すなわち真核生物の起原に関する研究を行っているので、その視点から本書を読むと、やはり中村博士の真骨頂である「膜進化説」と、マーギュリスの共生説批判の部分（本書の最後）に最も面白みを感じる。しかしそこに面白みを感じるためには、本書の大部分を占める遺伝子や代謝の起原と進化に関する部分の存在も重要である。

共生説は、現在の細胞進化学においては、他の仮説を圧倒して極めて優位な位置にある。かく言う私も、共生説の片棒を担いでいる人間だ。だからこそ、真っ向から対立する概念の存在は、私にとっても超えるべき壁でもあり、その視点から語られる細胞進化のあらましは、謎や〝定説〟に挑戦し続ける研究者の営みと大きくオーバーラップすることで、より面白く伝わってくる。じつは私にとって、中村博士の本はバイブルであった。本書の前著とも言うべき本に、同じ培風館から出された『細胞進化』（1987年刊）がある。私はこれを大学生の時に購入し、今でも時々本棚から取り出して読んでいる。細胞の進化について、そして真核生物の進化について、これほど真摯に取り組んでおられる研究者は、わが国では少ないだろう。『細胞進化』はすでに入手がかなり困難だが、『新・細胞の起原と進化』は入手可能だ。進展の早い生物学書としてはやや古いが、決して内容は色褪せてはいない。「生物の進化」という言葉のみに接したことがある人がいたら、ぜひ本書を読み、「細胞の進化」にも思いを馳せていただくことを願って止まない。

2冊目

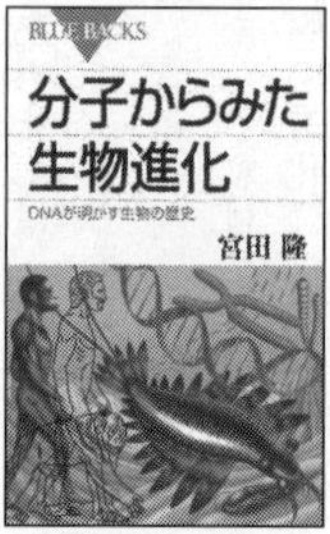

分子からみた生物進化

宮田隆著
講談社ブルーバックス、2014年刊

生物の進化を語る上で、今や「ＤＮＡ」は無視して通ることはできない存在となった。ＤＮＡという言葉は「進化」と同様、一般社会でもよく使われるようになったが、その実体は所詮「デオキシリボ核酸」という名の分子に過ぎず、4種類の塩基が一列に並び、さらに二重になった物質に過ぎない。とはいえＤＮＡは、遺伝子の本体として重要な役割を果たすため、生物という存在の分子的・物質的な基盤なのだ。物質であり、生命の根本でもある。その視点から生物の進化を紐解いたのが、本書『分子からみた生物進化』である。

ＤＮＡには、「分子時計」としての側面がある。ある種の遺伝子は、時代の経過と共に一定のペースでその「塩基配列」を変化させるため、生物の進化と、種の分岐年代を推定するのに重要となる。生物の進化を分子の視点から明らかにする学問が「分子進化学」で、本書はまさにそのエッセンスが詰まりに詰まった本であり、著者の宮田隆博士（京都大学名誉教授）はその道の大先達だ。

ブルーバックスにしては４００頁を超える大作で、値段も１２６０円と、ややとっつきにくい感はあるが、今、生物学者たちがどのように生物進化を思い描いているのかが、最新の研究成果から明らかとなる良書である。真核生物の起原にも言及がある。必要な知識を再確認するため、いま私は、常にこの本を手元に置いている。

3冊目

ウイルスと地球生命

山内一也著
岩波科学ライブラリー、２０１２年刊

真核生物の起原に関する研究の中で、私は「ウイルス」に一つの視点を置いている。なぜなら、ウイルスは生物ではないと見なされているが、私たち生物の進化にはなくてはならない〝伴侶(はんりょ)〟だったからである。ウイルスには得てして「病原体」としてのイメージがつきまとうが、そうしたウイルスはごく一部である。近年発見されつつある「巨大ウイルス」をはじめ、多くのウイルスは私たち生物の「環境」の一部。その中で、ウイルスと生物との相互作用は、生物からウイルスへ、またウイルスから細胞へという遺伝子の「水平伝播」を通じて、遺伝子の多様化、生物の多様化を可能にした、極めて重要な要素だった。本書には、様々な場面におけるウイルスと生物の知られざる相互作用が、事細かに語られており、緻密(ちみつ)な生命のしくみに驚かされること必至である。著者の山内一也博士（東京大学名誉教授）は、わが国のウイルス学を代表する研究者であり、病原体としてのウイルスのみならず、多種多様な世界に生息するいわゆる「環境ウイルス」にも造詣が深いため、ウイルスそのもの以上に、底知れぬ奥深さが見てとれるのだ。

生物は、細胞は、はたしてどのように進化してきたのかという、生物学が成立して以来、多くの学者が果敢に取り組んできた謎。本書は、ウイルスというちょっと脇に逸れた視点から謎を見つめる、もう一つの「目」の役割を果たしていると言える。

たけむら・まさはる

1969年三重県津市生まれ。三重大学生物資源学部卒業、名古屋大学大学院医学研究科修了。博士（医学）。名古屋大学助手、三重大学助手等を経て、現在、東京理科大学教養教育研究院教授。専門は水圏生命科学（巨大ウイルス学）、生物教育学。著書に『生物はウイルスが進化させた』（講談社）、『ベーシック生物学』（裳華房）、『レプリカ：文化と進化の複製博物館』（工作舎）、『マンガでわかる生化学』（オーム社）など多数。

11 生物の分類や進化は科学的に研究できるのか？

選者……三中信宏（進化生物学者）

1冊目

生物の驚異的な形
エルンスト・ヘッケル著　小畠郁生監修、戸田裕之訳
河出書房新社、2014年刊

「科学」という語を耳にするとき、私たちはたいてい近代以降の科学研究とそれを担う科学者を念頭に置くことが多いだろう。科学研究上の捏造（ねつぞう）や不正が大きな社会問題となるのは、裏を返せば、私たちが「科学」という営為に対してある一定のイメージあるいは期待があることの証でもある。しかし、科学あるいは科学者という概念が定着するはるか前から〝科学的な活動〟は実践されてきた。人間が獲得してきた知識の総体を把握しようとする試みは、かつて3世紀のギリシャの哲人ポルピュリオスが提唱した「ポル

ピュリオスの樹（arbor porphyriana）」に始まり、13世紀の思想家ライムンドゥス・ルルスが描いた「知識の樹（arbor scientiae）」を通じて、中世から近世へと継承された可視化の伝統に連なっている。科学は現在よりももっと幅広くゆるやかな知的活動であったはずだ。そして、そのような知の世界はことばという〝テクスト〟だけではなく、視覚的な図像という〝パラテクスト〟の両輪をともなっていた。

ここで生物の世界に目を向けよう。科学としての生物学や博物学が成立するはるか前から、われわれ人間にとって、身のまわりにいる生き物を的確に分類することは、自然の中で生きていく上でなくてはならない知識だった。紀元前4世紀の古代ギリシャで、アリストテレスが取り組んだのが生物分類学だったことは偶然ではない。しかし、16世紀ルネサンス期までの博物学は蒐集（しゅうしゅう）されたコレクションを分類する方法論への関心は概して低かった。むしろ、蒐（あつ）められた動植物をいかに正確に記載し、命名するかが第一義的な問題であり、それを解決するための「記載の科学」がこの時代に成立した。

しかし、17世紀に入って全世界をまたにかける探検博物学が勃興し、なじみのない異国の生き物たちが次々に届き、博物学の知識が際限なく増大するとともに、体系化を欠いた分類法の限界が迫ってきた。狭いローカルな地域に分布する動植物の分類は直感的に行なえたとしても、もっと広いグローバルな世界から蒐められた生物の分類にはしかるべきロジックが必要になる。あまりに多様な生物たちをひとつひとつ記憶できるほどの高性能の脳をヒトはもっているわけではないからだ。この状況に至って、博物学者たちははじめて分類のための明確な方法論と知識の体系化の必要性を真剣に論議するようになった。前世紀の「記載の科学」から新たな「分類の科学」への移行は生物多様性の知識の増大がもたらした必然の成り行きだった。蒐められた事物の記載や分類は現代科学が私たちに抱かせる実験や観察を通しての〝ハード・サイエンス〟というイメージとはほど遠いかもしれない。実際、20世紀に入ると、生物分類学は「切手蒐集並みの二級科学」という烙印を押された時期もあった。しかし、科学はけっして一枚岩ではない。

たとえば、生物の歴史である系統発生を推定するには、実験や観察が主導する物理学や化学とは異なる性格をもつ科学であるという認識が必要だろう。生物進化という歴史的プロセスは遠い昔に完了してしまった事象の連続である。直接的な観察はもちろんできないし、実験的な反復検証もまた不可能である。それでもなお、進化学や系統学は科学である。生物の進化や系統を研究対象とするこれらの〝歴史科学〟は、物理学や化学とは異なるタイプの科学であるにすぎない。

自然淘汰(とうた)に基づく生物進化を論じたチャールズ・ダーウィンと同時代の19世紀後半に活躍したドイツの動物学者エルンスト・ヘッケルの著書『生物の驚異的な形』は、二重の意味で画期的な業績だった。そのひとつは、生物多様性という膨大な知識の図像による可視化という博物学の大いなる伝統を継承した点である。ヘッケルは、天性の豊かな画才を存分に発揮して、動植物のもつかたちの多様さを１００葉にのぼるみごとな彩色図版あるいはモノクロ図版として描いた。放散虫をはじめ海産無脊椎動物の専門家だった彼は、海中深くにいる誰も知らない生き物たちがもつ驚異的かつ芸術的な姿形を描くことで、生物の世界に対する一般読者の好奇心をかきたてた。

本書のドイツ語原書（1899〜1904年出版）には実は図版ごとに詳細な解説文が付されている。しかし読者にとっては、テクストとしての解説文ではなく、むしろパラテクストとしての図版の方が、はるかにインパクトが大きかった。動植物の多様性を研究対象とする博物学には「目に見える」ことをとりわけ重視してきた歴史がある。目で見て生き物を同定するための図鑑類が昔からつくられてきたのは、われわれが分類や同定をするときにさまざまなグラフィック・ツール（図形言語）が必要だったからである。最近復刊されたばかりの荒俣宏（編）『新装版・世界大博物図鑑（全5巻）』（2014年、平凡社）をひもとけば、絵はもっとも始原的なそして今なお有効なツールであることがよくわかる。私たちは本といえばテクスト（文字）主体の書物を想像しがちだが、本書のような図鑑ではむしろパラテクスト（図版）の方が読み手にとっては重要な意味をもつ。そこではテクストとパラテクストの主従関係が逆転することがあるのだ。

本書がもつ二番目の重要な功績は、個々の動植物のかたちを可視化しただけではなく、生物界全体の〝体系〟のかたちをも彼が可視化したという点である。ヘッケルは科学者としてデビューした最初期の著作『生物の一般形態学』（1866年出版）の巻末に、全生物の「系統樹」の図版を何葉も描いた。ダーウィンの進化思想に惚れ込んだ彼は、生物の系統関係に基づく壮大な体系を系統樹という図像を通して可視化したのである。これもまたヘッケルの天賦の画才があればこそ初めて実現したことはいうまでもない。

生物多様性を系統樹として図示化することは、私たち人間のもつ直感的な認知的理解能力に頼りつつ、多様性の分類パターンと系統プロセスへの理解を深める機能を果たす。その意味で、現代的なインフォマティクス（情報学）は想像以上に長くて深い歴史を背負ってきた。同時に、多様性の可視化がもつアーティスティックな表現様式に惹かれる人は少なくないだろう。科学における「美」をテクストとして書き出す行為が博物学という生物を対象とする分野を構成したのであれば、多様性を図像的に表現したパラテクストとしての系統樹もまたその美を明示的にあるいは暗示的に継承しているにちがいない。ヘッケルの手にかかれば、個々の生物が〝芸術的〟であるのとまったく同じ意味で、生物全体の系統的体系もまた〝芸術的〟となる。

『生物の驚異的な形』という生物図鑑の全体構成を背後から支えているのは、ヘッケルの生物進化と系統発生に対する強烈な信念である。彼によって視覚化された系統樹は、ポルピュリオスやルルスから連綿と続く樹形ダイアグラムに基づく知識の可視化の近代的発現のひとつとみなされる。多様な生物を描き、さらに生物全体が織りなす体系を系統樹として描いたヘッケル。本書はテクストと同格あるいはそれ以上に雄弁なパラテクストとしての図像を再認識させ、さらにもっと大きな生物の体系の系統樹による視覚化のたぐいまれな説得力を示した点で20世紀の幕開きにふさわしい著作である。

2冊目

種の起源（上・下）

チャールズ・ダーウィン著　渡辺政隆訳
光文社古典新訳文庫、２００９年刊

1859年、チャールズ・ダーウィンは、キリスト教の反進化論的な思潮が主流だった19世紀のイギリスという特有の社会的・文化的状況のもとで、一般読者に向けて本書を出版した。膨大なデータと傍証を踏まえて、生物が系統発生によって祖先から子孫を生じ、そのメカニズムとして自然淘汰を提唱した彼は、たとえ生物進化が直接観察できないとしても、蓄積された知見に基づけば妥当な推論が可能であることを示した。ダーウィン自身にはヘッケルほどの画才はまったくなく、本書にただ一枚だけ載っている生物の系統発生的分岐を図示する樹形ダイアグラム（上巻、pp.210-211）は単純この上ない線画にすぎない。しかし、このダイアグラムは彼の理論にとってはきわめて重要だった。ダーウィンはこう述べている。

「同じ綱に属する全生物の類縁関係は、ときに一本の樹木で表されてきた。この直喩は大いに真実を語っていると思う」（上巻、p.227）

つまり模式図として描かれたこの樹形ダイアグラムを通して、生物の変異に対して自然淘汰が作用することで分岐的な進化が生じるという説をダーウィンは視覚化したとみなせるだろう。

3冊目

進化：生命のたどる道
カール・ジンマー著　長谷川眞理子日本語版監修
岩波書店、2012年刊

反復実験や直接観察によって探究を進める〝ハード〟な科学もあれば、分類学や歴史学のように傍証の蓄積と推論の連鎖によって考察を極める〝ソフト〟な科学もある。いろいろな基準で実行される科学がありえることを私たちは知る必要がある。

ダーウィンやヘッケルが活躍した19世紀からはや一世紀半が過ぎ、進化生物学はいま21世紀を迎えている。手練のサイエンス・ライターであるカール・ジンマーの大著『進化：生命のたどる道』は、生物の進化研究がたどってきた歴史を踏まえ、いまもっともホットな論議を呼んでいるトピックスをつむぐことで、進化生物学の現在のすがたを一般読者に伝えようとする好著だ。

生物の遺伝を支配するメカニズムが解明され、自然淘汰の数学理論が確立された20世紀前半を経て、生物諸科学を統合する進化の総合学説が提唱されたのは20世紀中盤だった。そして、遺伝子情報に基づく分子進化学の中立理論が1960年代にあらわれ、分子系統学に基づく系統樹の推定がなされるようになったのは20世紀の最後の10年だった。

本書は、豊富なカラー図版を示しながらひとつのストーリーとして進化生物学の広大な研究分野を描き出す。最先端の進化研究がどのような学問的・歴史的なコンテクストのなかに置かれているのかも読み取りつつ、読者はテクストとパラテクストのみごとな融合を楽しめる。

みなか・のぶひろ
1958年京都市生まれ。農研機構農業環境研究部門専門員、東京農業大学客員教授。東京大学農学部卒業、同大学院農学系研究科博士課程修了（農学博士）。著書、訳書に『系統体系学の世界』（勁草書房）、『思考の体系学』（春秋社）、『読む・打つ・書く』（東京大学出版会）、『系統樹曼荼羅』（NTT出版）、マニュエル・リマ『The Book of Trees：系統樹大全』『The Book of Circles：円環大全』（ともにBNN新社）など。

12 昆虫は人間の写し鏡か？

選者……小松 貴（好蟻性生物研究者）

1冊目

狩蜂生態図鑑
：ハンティング行動を写真で解く
田仲義弘著
全国農村教育協会、2012年刊

日本人ならば、誰もが一度は手にとって読んだであろう、『ファーブル昆虫記』。その中には、ファーブルが終の棲家としたフランスの片田舎にある荒れ地を舞台に、そこに見られる多種多様な虫たちの生き様が綴られている。しかし、それら虫たちの中でもファーブルが最も興味関心を持って観察したのは、紛れもなくハチだ。それも、我々が一般的にハチと言われてすぐ思いつくようなミツバチやスズメバチではない。単独で営巣・生活し、自分だけで花蜜を集めるハナバチ類や、他の昆虫を捕らえて毒針で刺して麻酔し、幼虫の餌にする狩人蜂の仲間である。長い長い昆虫記の中でも、ファーブルはこれら単独性のハチに関して一番ページを割いて書いているあたり、よほど好きだったに違いない。逆に、集団で生活する社会性のハチ類やアリ類に関して、彼はほとんどページを割いていない。幼少期、半ば両親から捨てられる形で独り立ちし、何から何まで自分一人でやって生きていかねばならなかったファーブルは、誰に教わったでもなくただ一匹で精巧な巣を作り、獲物を集める単独性のハチ類の姿に自分を重ね合わせたのかも知れない。

私は幼い頃からファーブルの昆虫記を愛読していた関係で、この本に登場するいろんな種の狩人蜂に並々ならぬあこがれを感じていた。しかし同時に、あくまでも昆虫記はファーブルのいた遠いフランスの虫に関する本であり、日本では出会うことの出来ない虫ばかりが出てくることに、言いしれぬ疎外感も覚えたものだった。所詮、この本の内容ははるかな異世界の出来事であり、自分はその世界に入ることすら出来ないのだと。ところが、ある程度成長して知恵が付いてくるにしたがって、実はファーブルの昆虫記に登場するほとんどの種の虫に関しては、実は日本にも非常に近しい種がいて、似たような生態を持っているということが分かってきた。しかも、それらのうちほとんどの種は深山幽谷にしかいないものではなく、我々の身近な田畑、裏山、公園などで簡単に見つかるようなものだったのだ。私はその真理にたどり着いたとき、心から驚き、そして歓喜した。日本にいながら、家からそんなに歩かない距離の場所で、あのファーブルが見たのと同じドラマを直に見る権利が与えられていることに気づいたからだ。そこで、幼少の私は夢中になって近所の茂みにしゃがみ込んで、それら「昆虫記の遺志を継ぐ虫たち」を観察した。なかでも、ファーブルに取り憑かれた私は、狩人蜂の観察に相当な時間を費やした。当時私が住んでいた家のそばには、きっとファーブルが観察したものに近縁なものであろう狩人蜂、すなわちジガバチやベッコウバチ、アナバチなどが多かったので、観察そのものには事欠かなかった。しかし、一つ問題があった。当時、子供や一般向けに理解できるように書かれた日本産狩人蜂に関する本が、ほぼ日本に存在しなかったのである。だいたい、この時代に子供向けに書かれた昆虫に関する本と言ったら、人気のカブトムシやクワガタムシ、チョウにカマキリと、そういう一般的な子供が捕まえたり育てたりできるような種を題材にしたものばかりで、ハチ（しかも単独性の狩人蜂）に関する啓蒙書など、まずなかった。本当は探せばそうした本もないこともなかったのだが、それらはみな文字ばかりでとっつきにくく、子供にとってはページを開いただけで読む気が失せるような代物ばかりだった。昆虫図鑑を見ればそこそこ狩人蜂は載っているが、それでも一般向けの図鑑に載っている種といえば大型かつ顕著な種だけで、掲載種もさほど多くはないというのが現状だった。

そんな当時の私が、2012年に出版された『狩蜂生態図鑑：ハンティング行動を写真で解く』を読んだら、きっとひっくり返って気絶していたかもしれない。本書には日本国内の、特に身近な環境に生息する大小さまざまな種の狩人蜂が、生態写真とともに紹介されている。蜂を写真で紹介するという、コンセプトとしては非常に単純明快な本なのだが、とにかく使われている写真が凄すぎる。かなり多くの種のハチに関して、野外で獲物を捕らえて毒針で仕留める瞬間を見事にカメラに収めているのである。しかも、キマダラズアカベッコウやフクイアナバチなどといった、全国的にきわめて希少で、ハチそのものの姿すら見るのも困難な種のいくつかに関しても、ちゃんと獲物を狩り運搬する様子や、巣材を集めて運ぶ様子が撮影されているのである。そもそも、本書の表紙に使われている写真こそ、その希少種フクイアナバチが獲物を捕らえた姿だ。本書に使うに足る写真を集めるまでに費やされた年月、撮影者の労は推測するに余りある。もちろん、普通種であっても撮影に抜かりはない。狩人蜂の中には、1㎝以下の非常に小型な種が多く、それらは警戒心の強さはもとより動きの素早さから、普通はその行動を写真に収めるなんて無理だと思う。だが、そうした小型種でさえ、獲物を狩るさまをしっかり押さえている。こうした写真は、適当に考えもなく虫を観察していて撮影できるものではなく、相当の知識と経験があった上で狙わなければ撮れない。改めて、撮影者の虫に対する執念そして愛情を、ひしひしと感じる。

この本は、単にハチの写真を羅列した本ではない。「獲物の昆虫を捕らえ、運ぶ行動」「巣作り行動」をキーとして、狩人蜂の進化に関して論じているのである。ファーブルは熱心に狩人蜂の行動を観察したが、彼は一匹のハチの行動があまりにも複雑かつ巧妙であるのに気を取られ、心を奪われすぎた。その結果、こんな精巧な仕組みの生物が自然淘汰（一番生存に最適なものだけが偶然生き残ってきた）の結果誕生したとはとうてい思えないとし、進化論を痛烈に否定するに至った。だが、ハチ全体の生活様式を系統的に古いタイプの群から新しいタイプの群へと並べて鳥瞰すれば、段階的に複雑な方向へと変化しているのだ（ただし、例外もそれなりに多いことが本書を見ると分かる）。しかも、営巣習性のある狩人蜂の仲間では、分類群により狩りと巣作りを行う順番が異なっていたりする。同じ種の獲物を運搬する際にも、ある分類群のハチは必ず触角を持つのに、別の分類群は脚を持つなど、分類群ごとに決まっているという話も面白い。狩人蜂の行動生態が、系統的に見て段階的に複雑になっている「進化のたまもの」であるということは、既に昔のハチ類研究者が論じていることである。しかし、それを専門外の素人でも分かりやすいように、ビジュアルで示した本書の功績は大きいと思う。

　本書には他にも狩人蜂を野外で探すためのコツや、人工的におびき寄せて巣作りの様子を観察する方法など、読者を今すぐにでも外へ出て実際に確かめてやろうという気にさせてくれる情報がたくさん載っている。狩人蜂の仲間は、概して人間にとって直接的には害にも益にもならない「ただの虫」と見なされる種が多い。そうした虫に特化した一般向けの書籍が出るというのを見るに付け、時代は変わったのだと思い知らされる。役に立たない生き物は、すなわちつまらない生き物ではないということを、これ以上教えてくれる本もないように思う。

2冊目

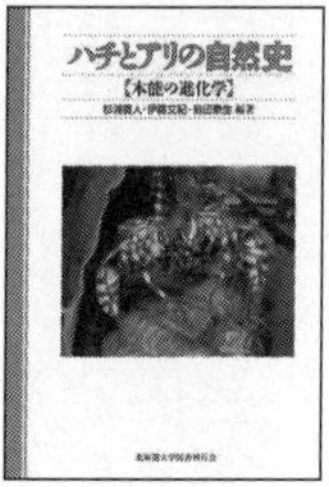

ハチとアリの自然史

：本能の進化学

杉浦直人ほか編著

北海道大学図書刊行会、2002年刊

ハチの話ばかりで恐縮である。本書は、前掲の本を読んで、ハチの生態に本格的に興味を持った人に勧めたい。本書は、日本を代表するハチやアリの権威たる専門の研究者たちが寄稿した本で、フィールドでの観察の話、分類の話、複雑な実験系を組んだ話など、多面的な視点からハチやアリの不思議に迫った内容になっている。狩人蜂の麻酔行動を実際に野外で観察した話はもちろん、形態学的な観点から生態不明な狩人蜂がどんな獲物を狩るかを予測した話が面白い。ハチに関しては狩人蜂ばかりではなく、単独性のハナバチの巣を乗っ取り、寄主の幼虫を殺した上に巣部屋の構造まで作り替えてしまう寄生性のハチの話、植物の枝に特殊な住処を形成し、植物の組織を操作して本来出るはずのない蜜を出させてアリを呼び、天敵から防衛させるハチなど、不思議なハチ（しかも、それらは身近な環境にごく普通に生息している）の話が楽しめる。ファーブルが恐らく毛嫌いしたであろう、社会性のアシナガバチやスズメバチ、アリの話も多い。しかし、それらに関しても家族内での順位制があったり、その奇妙な姿形を生かして特定種の生物を捕獲したりなど、単独性のハチに負けず劣らぬ物語が展開されている。全体を通して感じるのは、ハチやアリは一見関係なく思える他の様々な生物と実はつながって生きている、生態系においてとても重要な位置づけの生物であることを、どの著者も強調していることだろうか。

3冊目

アリたちとの大冒険
：愛しのスーパーアリを追い求めて
マーク・W・モフェット著　山岡亮平、秋野順治訳
化学同人、2013年刊

私はアリと関連した研究を特に行っているため、アリの本もひとつ挙げておきたい。本書は、世界中に生息する面白いアリの生態を美しい写真と共に紹介した本で、コンセプトとしては冒頭の『狩蜂生態図鑑』に近い。だが、本書はそのスケールが桁違いである。本書に使われている写真の撮影者はスミソニアン自然史博物館の研究員だが、彼が自分でアフリカ、東南アジアから中南米に至るまで一人で飛び回り、撮影したものであるからすさまじい。しかも、ナショナル・ジオグラフィックに幾度も写真を寄稿しているプロの写真家で、写真のクオリティは折り紙付きだ。大群で大地をさすらい、行く手

に現れるあらゆる生物に襲いかかって食い尽くす恐ろしいサスライアリ、木の上に葉をつづり合わせて丸い巣を作る攻撃的なツムギアリなどの知られざる生き様を、卓越した技術と根性でもってまるで映画のワンシーンを撮るかのように切り取っている。こうした生物の撮影は、まず現地に行くのに苦労し、現地で撮影に適した被写体を探すのに苦労する。そして撮影そのものでまた苦労する訳だから、ただの仕事や研究といった義理だけではだめである。本当に心から好きでやっているからこそ、なしえるのだろう。ハキリアリが巣内で餌の菌を栽培する写真も、あたかも自身がアリの巣に入って撮ったかのようで、とてもファンタスティックである。文章がやや細かい印象だが、写真だけでも十分楽しめる一推しの書。

こまつ・たかし
1982年生まれ。アリの巣に共生する生物の生態・進化を研究する傍ら、身近に生息する生態不明の「役に立たない虫」の研究を行う。信州大学大学院工学系研究科山岳地域環境科学専攻博士課程修了。博士（理学）。2014年より九州大学熱帯農学研究センターにて日本学術振興会特別研究員PD。2017年より国立科学博物館にて協力研究員。著書に『裏山の奇人：野にたゆたう博物学』、共著書に『アリの巣の生きもの図鑑』（ともに東海大学出版会）がある。

13

四千年も歴史がある膨大な「医学」を学ぶには、いったいどこから手を付けたらいいのだろう？

選者……森皆ねじ子（医師・漫画家）

1冊目

からだのひみつ
学研まんが　新・ひみつシリーズ
井上大助著、吉田義幸監修
学研、2005年刊

人類は有史以来ずっと病気と闘ってきました。「医学」は人類の歴史と英知が詰まった学問の一つです。まだまだ未知なことも多く、日々進歩し続けています。医学を学びたいと思っても、情報量があまりに膨大でいったいどこから手を付けていいかさっぱりわかりません。人類最高峰の英知が四千年分積み重なって、どっしりと我々の前に鎮座している状態です。

医学生の頃の私にとって、医学はひどく難しいものでした。大学の授業はさっぱりわかりませんでした。そもそもハタチそこそこのペーペーの小娘に、四千年の知識をたった六年で把握しろっていうのがどだい無理な話なんです。私は新しい単元――生理学とか解剖学とか整形外科とか――を学ぶ必要が出る度に、本屋へ向かい、該当する棚を端から端までチェックしました。初学者にもわかる「いい本」を探し求め、一般健康書や看護書やマンガ入門までチェックしました。

まず初学者に必要なのは、パッと頭に浮かぶ大雑把なイメージと適度に簡略化された説明だとねじ子は考えています。

例えば、小学校の理科ではこんな問題が出ます。「胃の働きをひらがな十文字以内で述べよ」。「ハァ？　十文字!?　胃の働きって、本が一冊書ける内容だよ!?」と叫びたくなりますが、そんなんじゃ甘いです。小学生にはひらがな十文字で説明する必要があるんです。あいつらの脳は全ポケモン七百二十四匹とその得意技で埋まってます。余分な知識のための領域は数バイトしか残されていないのです。ちなみに正解は「たべものをためる」。これでじゅうぶん。実際、胃は小腸から派生してできた器官であり、食料を溜めて小出しに小腸に送り込むことで、ゆっくりとした消化吸収を実現しています。溜めてる間、何もしないのも退屈なので、タンパク質を分解したり、細かい仕事もいろいろしてます。でもそんなのは後付けで、「めったに食料にありつけないご先祖様たちが作り上げた優秀な食料袋」というのが胃の真髄です。小学校における説明はきわめて大胆かつシンプルに凝縮された内容だと思います。「胃の役割って、他にもあるだろ！」と言うのは簡単です。誰にでもできます。でも、胃に関する本を千冊読んだ専門家が、小学生に向かってビシッと「胃は食べ物をちょっとの間溜めておくところなんだ」と迷いなく言える方がとてもカッコイイし、人体の面白さが伝わりやすいのではないでしょうか。

簡略化されているゆえに正確さを欠く表現もあるでしょう、でも最初はそれでいいのです。その後、興味か必要があれば、さらなる拡大鏡でひとつひとつの部分をていねいに観察して理解を深めていけばいいのです。おそらくこのアプローチは、どんな学問であっても同じではないでしょうか。まずはシンプルに。最初から細かい例外ばかりを学ばされていたら、誰だってうんざりしちゃいます。はじめの一歩から複雑すぎる本に触れてしまうと、そのジャンルごと嫌いになったりしちゃいますよね。それは一番もったいない。

というわけで前置きが長くなりましたが、子どもが最もわかりやすく、かつ楽しく体のしくみを知るのに適した本をまずはご紹介します。「学研まんが　ひみつシリーズ」『からだのひみつ』です。マンガというとっつきやすい形式、感情移入しやすいキャラクター構成、パッとわかる図表。そして大胆なデフォルメが随所で駆使されています。

ねじ子が小学生のときに読んだのは旧版の『からだのひみつ』（漫画：藤木輝美）です。いたずら好きの小学生のヒトちゃんたちが、大学生のロングさんと発明家のオールゴ博士とともに体の様々な不思議を体験するストーリーです。このストーリーがいちいち面白いんです。

ここではエピソード「ほねと筋肉」をご紹介します。山奥にキャンプに出かけたヒトちゃんたちが幽霊と出会い、「バラバラになった俺の骨を集めて元通りにしてくれ」と依頼されます。バラバラになった骨を拾い集め、頭蓋骨を接着剤でくっつけて元通りにしたのはよいのですが、好奇心からついヒトちゃんが骨を三つ抜き取ってしまいます。幽霊はそれに目ざとく気付き、「失われた三つの骨をきちんと繋ぎ合わせなければお前らを呪い殺す」と宣告してきました。でもヒトちゃんは骨をどこに戻していいのかわからなくなってしまいました！　さぁどうする!?……というハラハラドキドキの展開です。「ランダムに一つだけ骨を選びどこの骨かを当てる」は、実は医学部の骨学（解剖学）の口頭試問でも実際に行われている試験なんです。医学部でも通用する内容が平然と小学生向けの学習マンガで繰り広げられているのですね。

「じゅんかん器」のエピソードも大好きです。いじめっ子と決闘して走り回り、転んで怪我をしたヒトちゃんの体の中で、血液がどう働いているかを具体的に解説しています。赤血球の赤君・白血球の白君・血小板のチビ君・血漿の水君が主役です。そう、擬人化です。平常時には何も仕事をしてないように見えたチビ君と白君でしたが、出血に際してチビ君は自分の身を犠牲にしてカサブタをつくり、血を止めます。傷口から体内に入ってきたばい菌と戦う白君たちは、相打ちで次々と死んでいきます。その自己犠牲の姿は感動ものです。赤君たちは「これまで（サボってると）悪口言ってゴメンよ」と泣きながらも、最後には笑顔で「でも、これでいいのだ。だって、みんなの活やくで、ヒトちゃんの、からだの中の血は、どんどんふえているんだもの」と語ります。そしてそんなことはつゆ知らずグーグー寝ているヒトちゃんの姿で物語は終わります。「人間はたくさんの細胞たちの犠牲によって生命を維持している」というヒトの根源構造にふれているのです。その一人一人の人間さえも人類という大きな種族を維持するための一つの個体に過ぎない。さらにその人類さえも、もっと大きな地球の歴史の一部に過ぎず、地球さえも太陽系の一部に過ぎず、太陽系さえも……。これってフラクタル構造じゃん！　そんな難しいことを小学生の学習マンガのオチに使うとは！

現在は内容が改訂され「学研まんが　新・ひみつシリーズ」『からだのひみつ』になり、小学生から体に関する疑問・質問を集めて、マンガで答える形式になりました。残念ながら以前のようなドキドキのストーリーは少なくなってしまいました（バラバラ死体の頭蓋骨を接着剤でくっつけたり、ケンカで流血するマンガは時代に合わないようです）が、これはこれでよくできています。「おふろに入ると、なぜ指先がしわしわになるの？」「ラーメンを食べるとなぜ鼻水が出るの？」など、子どもにとっても身近な疑問でいっぱいです。「女の子にはなぜ生理がくる

の？」など、時代に合わせた、男女の性差の話も盛り込まれています。会話のネタ帳として一生使える体の豆知識がいっぱいです。

2冊目

笑うカイチュウ

藤田紘一郎
講談社文庫、１９９９年刊

いまや知らないものがいない、名物寄生虫博士・藤田紘一郎先生のデビュー作。文芸評論の世界では「処女作にはその作家のすべてがある」と言われています。実は医学書もそうです。『笑うカイチュウ』とその続編『空飛ぶ寄生虫』には藤田先生の面白さのすべてが詰まっています。「寄生虫学はこのままでは絶滅する！　なんとか一矢を報いなくては！」という危機感、啓蒙への熱意、寄生虫への過剰な愛情など、のちの先生の本にも頻出するトピックです。

「寄生虫も細菌もウィルスも、決して悪者だけではない。すべてを世界から追い出すべきでもない。むしろ、細菌や寄生虫をあまりに排除し過ぎると別の病気がのさばってくる。共存が必要だ」という藤田先生の信念は、現在の感染症・免疫学の基本概念です。

これが「だから私は自分の体に寄生虫を飼っている！」とまでいくと、ある種デフォルメが効きすぎた「極端」になってしまうのですが、デフォルメが効いているゆえに楽しくわかりやすいのです。

3冊目

ブラック・ジャック

手塚治虫著
秋田書店、1973年刊

最後は、医学ではなく「医療」つまりベッドサイドのお話です。専門用語ではこれを「臨床医学」と言います。日本で「医療」を勉強するために最初に読むべき本は、やはり「ブラック・ジャック」だと思います。どんな医学書もかなわない最良の入門書です。

様々な病気の症状・経過・治療法が非常にわかりやすく描かれているのはもちろんのこと、それに伴う患者さんの心理変化、医者と患者とのありがちな関係性にも言及しています。さらには天才外科医ブラック・ジャックの人生を長く追っていくことで、日本における大学医学部と医局のしくみ、医者とお金の関係性まで学ぶことができます。

そして何よりも評価されているのは、ブラック・ジャック先生の医者としての心意気ですよね。法外な大金を要求するけど、実は金じゃない。依頼人に患者への深い愛があるかどうか。周囲への感謝があるかどうか。ブラック・ジャック先生が自分の行動を決める基準はいつだって人類愛なのです。これは医療者として生涯役に立つ心意気だと思います。

もりみな・ねじこ
医師・漫画家。大学医学部に進学後、イラストレーターとしての活動を開始。卒業後、医師として病院勤務をしつつ、医学生向け月刊誌でマンガとコラムを執筆。医学部を選んだ理由は、医学生にありがちな「ブラック・ジャックになりたかった」ではなく「手塚治虫になりたかった」ため。著書に『ねじ子のヒミツ手技』（SMS）、『人が病気で死ぬワケを考えてみた』（主婦と生活社）など。

14

動物に心があるか？

選者……岡ノ谷一夫（生物心理学者）

1冊目

ソロモンの指環
：動物行動学入門
コンラート・ローレンツ著、日高敏隆訳
ハヤカワ文庫ＮＦ、１９９８年刊

私の少年時代、まわりは正しく田舎であった。ものごころつくころから動物が好きだった。家にはアヒル、ウサギ、ニワトリ、ヤギがいた。もちろんイヌとネコもいた。その他、飼ってきた動物をあげるときりがない。水浴びに行くときはアヒルと一緒だった。散歩に行くときはイヌかヤギが一緒だった。これらの動物にも、自分と同じように心があることを疑ったことはなかった。たとえば小学3年生の頃、同級生がアリの巣に水を入れて遊んでいるのを見て、「やめろ、アリだって心があるんだ」と叫んで止めさせた。

同級生は「アリに心があるわけねえよ、バカ」と私を罵倒した。アリに心がない、と彼が断定したのが不思議でならなかった。

家業が水道工事店で、私は長男であったから父親は私がこの店を継ぐことを期待した。私は動物が好きだったから、獣医さんになりたかった。しかしそのことは黙っていた。親をがっかりさせてはいけないから。私が中学生になると父親は「大学は工学部に行き、家業を継ぐように」と命じた。そんなもんだろうな、と思った。そのうちに、私は数学が不得意で、かつ色盲であることが判明した。高校の進路相談では、これらの理由から、文科系のほうがよかろうと言われた。結果、私は工学部ではなく経済学部に進学することになった。経済学部に進んでも、家業を経営することはできるだろうという父の判断であった。そのときも、そんなもんだろうな、と思った。動物の心が知りたい、と言ってもそれは職業ではないことはわかっていたから。しかしこのような状態では勉強に身が入らず、浪人することになった。

実家のそばには予備校がなかったので、私は東京に出た。というのは言い訳で、とにかくひとり暮らしがしたかったのである。代々木ゼミナールに入学し、代田橋に下宿した。新宿に出て本屋をうろつくと、実にさまざまな本があるではないか。浪人中に見つけたのが『ソロモンの指環』である。著者のコンラート・ローレンツは動物行動学の創始者と言われる。ローレンツは、動物行動学を確立したという業績で、1973年のノーベル生理学・医学賞を受賞している。動物行動学というものが世の中にあり、それでノーベル賞まで受賞した人がいるというのは衝撃であった。もちろんそれ以上に、書かれている内容に引き込まれた。この学問をぜひ学びたいと思った。この本を訳した人は日高敏隆という先生で、京都大学理学部にいた。私は文科系だし、だいいち親が動物学など許さないだろう。悶々としていたころ、祖母が死んだ。父親は、「人間はいつ死ぬかわからない。死んだら無だ。だから、好きなところに進学するがよい」と言った。結局、父は私の父であり、私が進路について悶々としていたことを知っていたのであろう。

祖母の死をきっかけに、私は自由を得た。と同時に、人間が本当に死ぬのだということを実感した。そうなると、よりいっそう動物の心を研究したくなった。そして、そもそも人間の心がどうなっているのかもわからないことに気がついた。自分以外の他人に、心があるのだろうか。動物の心から自分の心まで、何を学べばよいのか。ひとしきり悩んだ末、私は心理学を学ぶことにした。心理学では動物実験もすることを代々木ゼミナールの資料室で知ったからである。私は慶應義塾大学文学部に入学し、心理学を専攻して、ローレンツを訪問したことのある渡辺茂先生のもとで、小鳥の聴覚の研究を行った。

『ソロモンの指環』の翻訳が出版されたのは１９６３年。原著が書かれたのが１９４９年。そして私がこれを読んだのが１９７８年。この本は絶版となることなく、今でも文庫本として購入できる。50年以上に渉り、日本語で読まれ続けているのだ。ノンフィクションの本が時代とは独立に読み継がれているのは驚異的である。人の動物への思いが普遍的であることを示すのだろう。この本に書かれているエピソードのうち、とても印象深かったのは、飼っていたコクマルガラスが、ローレンツの耳にミールワーム（甲虫の幼虫）とつばをこね合わせた代物を詰め込んだ話。この鳥にとっての、最大の愛の表現としての求愛給餌ではあるが、飼い主にとっては迷惑な話である。コクマルガラスには人間の耳の穴が口に見えたのだろう。この話は、動物行動学の基礎概念である「鍵刺激」の説明になっている。動物はしごくもっともに行動する。同種の異性に求愛するし、ライバルにはけんかを仕掛ける。しかしこれらの行動は、異性やライバルの特徴の一部があるだけで発現する。コクマルガラスにとって、耳の穴が給餌行動を引き起こす鍵刺激であったわけだ。

もうひとつ、なんと言っても可愛らしいのは、ハイイロガンのヒナ、マルティナの話である。ローレンツはガンの卵をシチメンチョウにあたためさせ、ヒナがかえる2日前に孵卵器に入れ替えた。ローレンツはふ化したヒナたちをガチョウに預けてしまおうと企んだが、そのうちの一羽と声と視線を交わしたばかりに、そのヒナはローレンツを母親だと思い込んでしまった。これは動物行動学でよく知られた「刷り込み」という現象である。ローレンツはいたずらによってガンのヒナの運命を狂わした責任を負い、マルティナの親として、彼女を育てることにしたのだ。このような話をしながら、ローレンツは動物に心があることを疑わない。動物を機械として分析するのではなく、同じように心を持つ存在として慈しむ。そこが、この本が50年以上たっても読み継がれる理由であると思う。

少し詳しく言うと、ローレンツは現在の進化生物学からすれば受け入れがたいことをいくつか言っている。ローレンツにとって、動物は種のために行動するものであった。現在では、動物は結果的に自己を構成する遺伝子を拡散させる方向に行動するのであって、種のために行動するのではないことがよくわかっている。種のために行動する遺伝子をもった個体群の中に、突然変異により、自己のために行動する遺伝子を持つ個体が生まれたとすれば、その個体がもっとも適応的になり、何世代か後にはその個体群は自己のために行動する個体で占められるであろう。また、ローレンツは、種によっては相手を殺すまで攻撃する本能を持っており、人間もそうかも知れないと考えていた。しかし動物が同種他個体を殺傷するのは、狭い檻（おり）の中など異常な環境の時や、ハーレムを乗っ取るときのように、結果として自己の遺伝子を拡散する機会があるときに限定される。殺しの本能があるわけではない。そのようなことに注意して読めば、『ソロモンの指環』は今でも楽しい本である。同時に、動物行動学の基本は、この本で十分学ぶことができる。

私はこの本で動物行動学に導かれ、動物の心と行動について研究を続けてきた。この本を訳した日高敏隆先生からもご指導を受ける機会を得た。さらに先生を記念した日本動物行動学会日高敏隆賞も戴く機会を得た。『ソロモンの指環』は私の人生をこのように方向づけてきたのだ。あのとき新宿の本屋をうろついていた私は、ローレンツと動物行動学に「刷り込ま」れてしまったのである。私の運命はこの本によって大きく変わったが、それは私の望むところであった。

2冊目

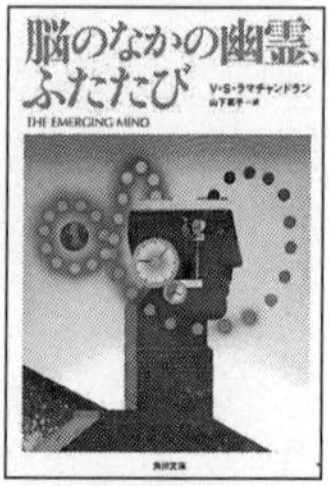

脳のなかの幽霊、ふたたび
V・S・ラマチャンドラン著、山下篤子訳
角川文庫、2011年刊

科学読み物は、読みやすさと伝達の正確さとの間で、どう均衡を取るかが難しい。特に脳に関わる科学は、人間性を直接扱うことになるから難しい。著者はたいへんな勢いで研究を進めながら、並行して脳科学をネタに面白い、しかし正確な読み物を書いている。本書は、これに先だって出版された『脳のなかの幽霊』およびこの後に出版された『脳のなかの天使』双方のエッセンスを併せ持つ、お得な一冊である。

第一章では、切断した腕や足が痛む幻肢痛という現象から、脳科学全体を俯瞰（ふかん）する。第二章では、視覚を失ったにもかかわらず、ものが見えているように行動する「盲視」という現象から、脳の階層的・並列的な現象を説明する。第三章では、私たち人間に特有な芸術という現象を、脳が進化の過程で獲得してきた情報処理の特徴から解説する。第四章では数字に色がついて見えたり、味覚に図形が伴って感じたりする共感覚という現象から、脳の中で諸感覚がどのように統合されるかを説明する。第五章では、脳損傷事例の研究や脳機能イメージング等から、内省的意識の理解が進むことを示唆する。

自由意思や自己といった哲学で扱われてきた問題が、少しずつ神経科学の土俵にも入ってきている。本書は、軽妙な語り口から人間科学の重大な課題をそれとなく学べる工夫に満ちている。脳科学についてまず一冊読むのなら、躊躇（ちゅうちょ）なく本書をお勧めする。

3冊目

さえずり言語起源論
：新版　小鳥の歌からヒトの言葉へ

岡ノ谷一夫著
岩波科学ライブラリー、2010年刊

本書は私が20年に渉って研究してきたジュウシマツのさえずり（歌）についてまとめたものである。小鳥の歌は、多数の音の組み合わせからなり、親から学ぶことで身につく。このことから、小鳥の歌の生物学的研究は、ヒトの音声言語がどのように学習されるかの理解につながると考えられている。

小鳥の歌は通常、いくつかの歌要素が決まった順番でうたわれる。ところが、ジュウシマツの歌は、2～5の歌要素が固まりとなり、これらの歌要素がさまざまな順番でうたわれることがわかった。いわば、「歌文法」があったのである。しかし、ジュウシマツの祖先であるコシジロキンパラを調べてみると、普通の小鳥と同じように、いつも決まった順番で歌をうたっていた。コシジロキンパラが中国から日本に輸入されてから250年。この間にちょっとした進化が起こったわけである。この過程の研究から、ヒトの言語の成り立ちについて新しい仮説を提案することができた。これがさえずり言語起源論である。

「歌文法」の成立について、進化学、神経科学、動物行動学を駆使して解明してゆく過程が描かれている。しかしそれだけではない。本書には、私と一緒に研究を進めてくれた学生諸君の具体的な貢献が描かれている。成功もあり失敗もある。たいへんな忍耐がある。泥まみれの野外調査がある。科学がいかになされるか、現場の雰囲気を味わいながら、小鳥の歌から人間言語の進化に思いをはせることができるはずだ。

おかのや・かずお

1959年栃木県足利市生まれ。東京大学大学院・総合文化研究科生命環境科学系教授・進化認知科学研究センター長。動物と模型飛行機の好きな少年時代、ギターと小説が好きな青年時代を過ごした。米国で博士号を取得。小鳥の聴覚の研究から言語の起源、情動の仕組みの研究を経て、コミュニケーションと意識の研究に至る。趣味は16世紀のヨーロッパの弦楽器リュート、ビウエラなど。

15 『毒物事典』で分かることとは何か？

選者……南 伸坊（イラストレーター）

1冊目

毒物雑学事典
：ヘビ毒から発ガン物質まで
大木幸介著
講談社ブルーバックス、1984年刊

『毒物雑学事典』て、いきなり何言い出したんだろ、とお思いでしょう。たとえば合コンとかで、どんな本読んでますかとか質問された時に、

「毒物雑学事典て、大木幸介先生の本があるんですが、座右の書にしてます」

なんていうと、ちょっと引かれちゃうかもしれない。「毒物に詳しくなる→誰かに毒を盛るつもり」っていうような連想を、世の中の人はしがちだからです。

「毒物の雑学」っていったら、たとえばこんなんでしょう。

「帝政ロシアの怪僧、ラスプーチンは、皇帝の姻戚であるユスポフ公と、皇帝の従兄弟のドミトリー大公の共謀で毒殺されようとした」

ラスプーチンは晩餐（ばんさん）に誘われ、その時食事に青酸カリを盛られたのだった。しかし彼は毒入りの食事を平らげた後も態度に変化を示さず、周囲を驚愕させた。

とウィキペディアにあります。ラスプーチンは、毒殺をまぬがれたわけですが、食後に祈りを捧げていたところを、背後から鉄製の重い燭台で頭蓋骨が砕けるまで激しく殴打され、大型拳銃で2発の銃弾を撃ちこまれた。

ラスプーチンは反撃に出るがさらに2発、計4発の銃弾を受け、倒れたところに殴る蹴るの暴行を受けて窓から道路に放り出された。それでも息が残っていたので、絨毯（じゅうたん）で簀巻（すま）きにされ、凍りついたネヴァ川まで引きずられ、氷を割って開けた穴に押しこまれた。

3日後にラスプーチンの遺体が発見され、警察の検視の結果、肺に水が入っていたことから死因は溺死とされた。そうです。

もう、毒とか青酸カリとか、関係ない話になりましたね。

実は『毒物雑学事典』にも、ラスプーチンの話はでてきます。「青酸」という項目です。しかし、とてもアッサリしています。

「一九一六年、帝政ロシアの怪僧ラスプーチンが、青酸カリ入りコーヒーを飲まされても死ななかったのは、彼の胃が無酸症だったからだという話がある」

ラスプーチンに関してはこれだけ。青酸が毒物となるメカニズムに記述の重点がある。「青酸ガス（CN）は、元素の周期律表上で酸素原子によく似た、炭素原子と窒素原子が結びついたガスである」

「酸性溶液中ですぐ分解し、猛毒の青酸ガス（HCN）に変わる」

「青酸ガス（HCN）は、血液中のヘモグロビンと結合し、その働きをとめる」

つまり、青酸ガスと酸素が似ていて、本来酸素を運ぶべきヘモグロビンが、青酸と結合してしまうために、本来運ばれるべき酸素が欠乏し結果として窒息ということになる。

これは、たとえば煉炭（れんたん）殺人や、エアコンをつけたまま雪にとじ込められた車内で死んでしまうあの「一酸化炭素中毒」も同じです。

「一酸化炭素（CO）は酸素とそっくりであり、ヘモグロビンに酸素ガスの二〇〜三〇〇倍の強さで結合して、血液が酸素を運べないようにしてしまうので、体細胞は窒息してしまう」さらに、「COに似た炭酸ガスCO_2は、COと同様に無味無臭、空気中に〇・〇三パーセントふくまれている。無毒だがもしその含有量が一〇パーセント以上になると窒息死の危険がある」。

みなさんはこの記述を見て、どんな感想をもちましたか？

毒というのは、なにかとても「まがまがしい」もの、マンガなんかではドクロの絵がついてるビンとかであらわされますが、まア、こういうビンが棚にあったり、小包で送られてきたりした場合、われわれは大体、これを、ちょっとだけなめてみるとか、フタをあけて机の上に粉を盛り上げてみるとか、しません。

毒に触ったり、持ち上げてみたりもしない。それでいいと思いますが、そうこうするうちそもそも、毒というものに興味を持たない。毒っていうのは何なのか？　考えてもみない。ということになるのはどうでしょうか？

こわがっているのは、単にビンのラベルのドクロの絵っていうことになりませんかね。あるいは毒っていう「字」そのものにおびえてる、みたいなことになりませんか？

「毒にも薬にもならない」

なんていう言い回しがあります。毒は人間に害をなすもの、薬は人間の役に立つもの、という風にとると、この言い回しの意味はとれません。実は毒と薬は同じものなんです。つまり毒も薬も、人間の体内に入って、体の中のしくみにはたらきかけるところが同じです。

これを大木先生はこのように書かれています。

「人間をふくめて動物は、個々の細胞の生命によってではなく、細胞全体が構成しているシステムによって生存している」

このシステムにもぐりこみ、システムを狂わすのが、つまり毒です。

「動物のシステムは、「分子言語」といわれるホルモンによって各細胞間の情報連絡が行われ、維持される。ホルモン活動を迅速に行うために発達したものが、神経電線（神経繊維）で、この神経電線に強烈に作用するものが、すなわち、天然の猛毒である神経毒である」

つまり神経系は動物のシステム維持にとても重要なんだけど、ここに神経伝達物質と、まぎらわしい物質が入り込んだらどうなるか。

たとえば毒ヘビにかまれると、運動神経が遮断されて骨格筋がまひします。これは神経情報を伝達するアセチルコリンの作用をストップしてしまうためです。

このように「毒」というのは、人間の体の中のしくみを狂わせるので「毒」なんですが、それはすなわち人間の体の中にシステムがあるからこそなんですね、毒はそれ自体として毒なわけじゃない。つまり人間にとって毒なものが、ほかの生物にとってはなんでもないということがありえます。青酸は酸性溶液、人体の場合は胃酸があり、そこで出た青酸ガスがヘモグロビンと結合してしまうことが、窒息を招くために「毒」となるわけです。

つまり、毒を知ることは、人間の生体のしくみを知ることと対になっている。この関係があきらかになったのは、そんなに昔のことではありません。

たとえば麻薬や覚せい剤、マリファナや、合法ドラッグ（改メ危険ドラッグ）は、いまや成人ばかりか小、中学生までをむしばむようになっているらしいんですが、いまだにＴＶや新聞で、そうした事件が起こったときに、「なぜ麻薬や覚せい剤は法律で使用が禁止されているのか」が説明されることはありません。

法律で禁止されているからやっちゃダメ。これ一辺倒です。もっともこの幻覚や、快楽を引きおこす「毒物」の、毒物として作用するしくみを、昔はくわしく説明することができなかった。しかし、現実にそれを使用することで、ついには廃人となってしまう事実は知られていたので「とにかく禁止」だったわけです。

しかし、たとえば「一定時間以上、息を止めること」を、法律では禁止していません。そんなことをしたら死んでしまうのを、誰もが知っているからですね。いわゆる危険ドラッグが、どうして危険なのか？　を、禁止より前に、もっとよくわかるように説明しておいたらどうなのか？　と私は思うんです。

毒物について知るというのは、世の中で思われがちな「犯人の知識」だけではないということです。私は若者のころに、大木先生の本を読んで、この毒物と人間の関係を知ったことで、一挙にいろんなことがわかった気がしました。

2冊目

脳内麻薬

…人間を支配する快楽物質ドーパミンの正体

中野信子著

幻冬舎新書、2014年刊

麻薬というのは「麻酔作用を持ち、常用すると習慣性となって中毒症状を起す物質の総称。阿片・モルヒネ・コカインの類」というふうに辞典にはのっています。

ケシの未熟な果穀に傷をつけた時に分泌する乳状液を乾燥して得たゴム様物質。が阿片ですが、これが脳に絶大な異変を生じさせることは、大昔から知られていました。

が、なぜ、そのような効果を、この物質が持っているのかは、わかっていなかった。わかったのは1970年代です。モルヒネを受け入れる受容体が、脳にあることが発見されたんです。なんで植物に傷つけたり、出てきた汁をかためたりとかいろんなことして出来た「モルヒネ」を「受容」する受容体なんてものが人間の脳の中にあるのか？

受容体を見つけたのが1973年、その2年後1975年に、ブタの脳の中にエンケファリンというモルヒネに似た働きをする物質が発見されます。つまり、豚の脳にもあったが、人間の脳にも、もともと麻薬に似たようなものが存在していたのです。見つかるのがずっと遅れたんで「脳内麻薬」とか「麻薬様物質」とかって変なネーミングになりましたが、もともと似たようなものがあったからこそ、それに似た「麻薬」が脳ミソに作用していたんでした。

この本は、大木先生の『毒物雑学事典』の30年後に出た本なので、その間のさらに新しい知見も盛り込まれていて、とても面白い。

3冊目

大人の科学

南伸坊著
ちくま文庫、1999年刊

これは私自身の本なので、まるで宣伝をしているようになりますが、結局のところは、そうかもしれない。

しかし、今、この本は絶版になっていて、古本で購入するしかない。古本というのは何冊売れても著者には一円の印税も入ってきません。

愚痴を言ってるのではなく、私はこの本を読んでほしいと思う。自分がコドモだった時にこういう本に巡りあいたかった。という本を書いたつもりなのです。

コドモというのは、学校で「教えてもらう」知識よりも、どうしても今すぐ知りたい！　と思うような疑問を沢山、頭の中に充満させているものです。

ドラッグをやってみたい。というようなことも実はこのような知識欲のひとつだと、私は考えています。大人になったらやってもいいというセックスとかお酒とか、害があるらしい煙草とかも、とりあえず経験してみたいと思うのがフツーだと私は思っています。それでコドモが読むための「大人の科学」というのを紹介したのがこの本なのです。

男と女というのはどう違うのか？　どうして分かれたのか？　快感というのは、どういうしくみで感じるのか？　変態性欲とは何か？　と、とにかくコドモが早く知りたいと切望しているようなテーマで一冊できています。

教科書では、まだ教えてくれないこと、教科書ではまだ教えられないことが扱われている本です。

みなみ・しんぼう

１９４７年、東京生まれ。漫画雑誌「ガロ」の編集長を経てイラストレーターに。エッセイスト、装丁家、マンガ家など多彩な顔を持ち、路上観察学会の結成にも参画する。著書に『オレって老人？』（みやび出版）、『のんき図画』（青林工藝舎）、『本人伝説』（文春文庫）、共著書に『生物学個人授業』（河出文庫）、『丁先生、漢方って、おもしろいです。』（朝日新聞出版）など。

送り手に聞く②

科学館で立ち止まる

送り手……籔本晶子
（日本科学未来館 科学コミュニケーション専門主任）

単純な脳、複雑な「私」
池谷裕二著
講談社ブルーバックス

ご自身と、本との関わりについてお聞かせください。

私は日本科学未来館が2001年に開館したときから在職しているので、今年で15年目になります。この間、私個人と本との関わりについては大きな変化がありました。仕事柄、必要に駆られて科学の本をよく読むようになり、科学書の面白さに開眼する一方で、学生時代から親しんでいた小説がこれまでと比較にならないほど好きになったことです。

たとえばお菓子を食べる時、甘いものとしょっぱいものを交互にとると、両方ともおいしく感じますよね。それと同じで、科学の本にずっと向き合った後、「ああ疲れた」

と思って小説を読むと、もうおいしくてたまらないという感覚です。小説以外にも経済や哲学、歴史の本も読みますが、不思議なことに科学書を知ってからの読書は、どれも自分史上最高に面白くなりました。

大学では文学や外国語を学び、以前は〝ド文系〟の世界でずっと生きていました。世界が一つの円であるとしたら、半円しか知らず、しかもその半円だけが世界の全体だと思っていたのです。たまたま縁があり日本科学未来館という科学の館で働くことになり、自分の見えていた世界の向こう側に、「科学」というもう一つ別の豊饒(ほうじょう)な〝半円〟があることを知って興奮しました。以来、どちらか一方の半円だけでなく、常に円全体を視野に収めながら物事を見るという態度を大事にしています。「文系」「理系」の区分に限らず、世の中にはさまざまな学問分野が別々に存在しているように見えますが、すべては地続きに繋(つな)がっているからです。

たとえば、「人間」や「社会」を理解しようとしたとき、（少し乱暴な分類ですが）目に見える社会の動きに焦点を当てるなら社会学や経済学、政治学があり、その背後に関心があれば歴史学や人類学へと移行し、もっと根源的な仕組みに光を当てるなら進化や遺伝など生命科学へと降り立ち、またこれらのいずれからもこぼれ落ちる個人の心や人生の問題を、宗教や文学といった分野が拾い上げるでしょう。つまり、「人間」や「社会」のような複雑な全体を丸ごと理解するのは難しいので、どの側面に光を当てるかによって、学問は便宜的にモジュールに分かれているだけなんだと思います。科学書を読みだすと他分野の本も面白くなるというのは、この繋がりに気づき、少しずつ複雑な世界全体の眺望が開けていく感覚なのかもしれません。

日本科学未来館は、どんなところですか？

生命や宇宙、地球環境、ロボットなど、いま研究開発の進んでいる先端の科学技術を扱う科学館です。常設展のほか、年に二、三回の企画展や、実験教室などの活動を行っています。一つのプロジェクトにつき、五名前後の企画チームで運営されていますが、未来館の特徴の一つは、「科学コミュニケーター」という科学系のスタッフと、デザインや編集、映像など科学以外の専門分野をもつスタッフとで構成されていることです。この両者の知恵を合体させるかたちで、展示やイベントを設計しています。「科学館」ですから科学を応援する立場であり、科学の理解を推進するというミッションを担っていますが、単に科学の原理や技術の仕組みを説明することに特化していません。現代の社会や文化と、先端の科学技術とが交わる場を掘り下げながら、科学が世の中の他の分野とどういう関係性にあるのかを浮き彫りにすることも大切にしています。

科学と他分野の関係に関していうと、科学とは〝良心的な〟学問だと思うんです。たとえば「男脳と女脳」などテレビ受けするエセ科学的な言説がありますが、科学の手法に則って、得られたデータだけを頼りに誠実に論を積み上げていくと、残念ながらあまり「ウケる」ことは言えません。科学から導き出される人間観は、真実ではあるが、射程が短い。でも、それは科学の欠点ではなく特徴です。一方で文学や哲学はそこから飛躍して、形而上学的に人間存在の真実を述べることができる。その人間観にもまた限界があることは言うまでもありませんが。

科学でも文学でも、一つの分野の中に閉じこもっていると、なかなかその特徴は見えません。しかし、ひとたび広い知的営為の中に投げ出してみると、各々の分野にどんな強みがあるか、逆にどこに限界があるかがくっきりと見えてきます。特に科学については、限界を知ることがとても重要です。それが分かれば、科学を社会の中でどの方向に、どう育てていけばいいのかが見えてくるからです。

科学の本の面白さ、醍醐味を感じられる推薦書を教えてください。

一冊挙げるなら、脳科学者・池谷裕二さんの『単純な脳、複雑な「私」』があります。高校生に向けて行われた脳科学の講義をまとめた本ですが、内容的には相当難しいことを扱っています。前半では脳の機能や神経細胞の働きなど、ハードウェアとしての脳の仕組みが細かく解説され、読者は少しずつ知識をつけていきます。そして、ある所から急に話が加速するんです。いくつかの単純なルールを組み込まれた神経細胞が、しばらく無秩序な動きを繰り返した後、ある瞬間、「強靭な意図」を感じさせるような動きを見せることが実験で示されます。この突然の展開に、池谷さんの講義を受けた高校生たちも「うわーっ！」と驚嘆しています。

科学は良心的だと言いましたが、この本にも人間の脳について、データを逸脱する話はいっさい出てきません。徹底した唯物論で知識を積み上げていった先に、突然、意志や心という、科学を超越するような存在が現れる。その鮮やかさには本当に感動しました。このように知識を一つ一つ積み重ねた上で、満を持して本源的な問いに飛び込むという展開は、本でしかできないと思います。

一方で、脳研究では、例えば性や恋愛に関するものや、心理学的なものなど、文理融合的なテーマで広い間口を設定し、そこにうまくはまる科学のトピックを集めてくるような本作りもあります。しかし個人的には『単純な脳〜』のように、脳の機能研究という狭い間口の中で、その知識の最深層まで直球で読者を降りて行かせる手法のほうが理想です。最深部に達すると、そこから翻って「心はどうやってできているんだろう？」「そもそも人間の思考とは何だろう？」といった、まさに「文理融合的な」問いが浮かび上がってくる、そこがまた醍醐味です。間口を最初から広げるよりも、まず縦に深く降りた後に横に広げる方が、結果的に広くかつ深い洞察を得ることができるのではないでしょうか。

科学の本を読むとはどういうことでしょうか。

科学を知るにはいろいろな方法があります。テレビの科学番組を見たり、研究者の講義を聴いたり、科学館で展示を体験したり。でも、未来館で扱っているような先端科学の場合、本当の面白さを味わうには、ある程度、知識の下地が必要です。短時間の聴講や体験では一番面白い部分にまでなかなか到達できません。そんな時、さきほどの『単純な脳〜』のように順を追って知識を積み重ね、理解しながら進んでいけるという意味で、最も適したメディアは活字の本ではないかと思います。

「科学書にはこんなに面白いものがたくさんある」と大勢の人に宣伝したいですが、その面白さをもっと深く味わうために、同時に科学以外の本も読んでほしい。科学を読んだら次は小説、次は政治経済、次は哲学、そしてまた科学……というように、世界が円であるとしたら、その円の全体を知ろうとする過程で眺望が開けていくのは本当に楽しいものです。山登りで、視界の悪い林の中を一生懸命登っている時も楽しいけれど、ある高さに到達して振り返った時、眼下に広がっている景色が見えた時の気持ち良さは、科学をはじめとする様々な分野の読書によって得られるものです。眺望が開ければ純粋に気持ちがいいし、今の自分の立ち位置を知り、これから先の道をどんなふうに、どの方向に歩むべきかについても、より賢い選択ができるのではないでしょうか。

小松左京の『地球を考える』（「小松左京全集30　完全版」城西国際大学出版会）という1970年代の対談集があります。小松が分子生物学者の渡辺格や哲学者の上山春平など、当時一流の学者と対談しているのですが、科学を大きな円の中で捉えるという意味では最強の本だと思います。この時代はまだ文理の枠に閉じず、学問全体を大摑み（おおづかみ）に捉え、語る人がいるときでした。物理学者の湯川秀樹も、物理学をはじめ科学の営みを文明史的、人類史的な視野で語った本を残しています。

専門分野が細分化されすぎてしまった今、このような広々とした視野で科学が語れなくなってきているとしたら、読者自身が自分で俯瞰しようと努めるしかありません。今、さまざまな分野の本を読み、自分で山登りをしながら眺望を広げていくことにこそ、読書という行為の醍醐味があるのかもしれません。

送り手に聞く③

科学新書をながめる

送り手……小澤 久
（元講談社ブルーバックス出版部部長）

ブルーバックスシリーズの、最近の傾向を教えてください。

「自然科学に特化した新書」として1963年に創刊し、一昨年に50周年を迎えました。現在、毎月平均4点ほどを刊行しています。読者は理系出身の40代以降の男性が中心です。村山斉先生の『宇宙になぜ我々が存在するのか』、大栗博司先生の『大栗先生の超弦理論入門』など、この2、3年は宇宙関係がよく売れました。最先端で勢いのある若い先生が自分の研究についてリアルタイムに書いてくれると、非常に臨場感のある本が生まれます。また、ニュースで話題になるような発見があると、新しい読者も関心を寄せてくれます。たとえば2012年にヒッグス粒子が発見され、その半年後に刊行した

宇宙になぜ我々が
存在するのか
村山 斉著
講談社ブルーバックス

『ヒッグス粒子の発見』は翻訳書ですが、タイムリーに出版でき、ワクワクしながら読んでもらえたのではないかと思います。ヒッグス粒子以降、宇宙では目立った発見はありませんが、一方で、御嶽山の火山の爆発などを身近で目にしているせいか、地球科学や生命、さらに生物進化に注目が集まっています。

最近の試みとしては、現在5巻まで刊行した『カラー図解 アメリカ版 大学生物学の教科書』があります。原書はＡ４判の大きさで写真や図版点数も多いため、新書に収めるのには無理がありました。しかし専門的な話を手軽に読みたいという需要があり、分冊にして定価を抑えた結果、累計23万部のロングセラーとなりました。タイトルに「教科書」とあるので若い人にも手に取ってもらいやすく、学び直しの本を探している人には「やり直し」と謳わずとも、「もう一回勉強してみようかな」という気持ちを誘うことができたようです。

創刊当時の本を見ると、「えっ、こんなタイトルでいいの？」と感じるものもあります。今のように細分化されておらず、アバウトというか全体を俯瞰できる本が多くありました。それまで類書があまりなかったので、大きな制約もなく自由な発想ができたのでしょう。ある意味、いい時代です。刊行点数が１８００点を超えた現在は、宇宙といっても銀河やブラックホール、さらに暗黒物質や暗黒エネルギーとどんどん細分化され、内容も難しくなってきている気がしています。

どのようにして1冊が出来上がるのですか？

編集会議は月1回。7名の編集者各自が、その場で企画を発表します。まだ机上の企画から、すでに著者と接触をして練られたものまでさまざまです。タイトル、著者、企画趣旨と構成を話してもらい、それに対して皆が意見を出し合います。担当者の熱意が伝わってくるものであれば企画を通すようにしています。じつは編集部員は文系・理系がだいたい半々。ブルーバックスのような一般向けの本で大切なのは、まず専門家ではない自分たちが原稿を読んで面白いと感じられるかどうかです。最初の読者として最後まで読者の目線で本づくりができるかが大事だからです。

いっぽう科学はどんどん進歩しています。科学書の宿命として、刊行後、実験や新しい発見によって記述の変更を迫られることもあります。たとえば人類の起源や日本人のルーツにはさまざまな仮説があり、5年、10年経てば覆るかもしれません。ブラックホールを扱った創刊黎明期のベストセラーがありますが、ブラックホール自体の考え方も変わりました。自然科学においては仕方がないことで、そこは受け入れながらも慎重に判断しています。

しかし時々、たとえば相対論は間違っているとか、学会でも認められていないような企画をいただくこともあり、そういう類はお断りしています。ブルーバックスは論文、研究の発表の場ではありません。だからそれはきちんとしたところで発表していただき、それがある程度認められ、正しいと思われているものについて、書いていただくようにしています。

著者をさがすのも重要な仕事です。研究者か科学ジャーナリスト（サイエンスライター）か……。日本は科学ジャーナリズムが育ちにくいとよく言われます。科学の翻訳書を見てもらうとわかりますが、海外では科学ジャーナリストがきちんと取材をして、わかりやすく書いた本がたくさん出ています。日本では科学ジャーナリストが執筆できる雑誌はほとんどなく、科学ジャーナリズムが育ちにくい環境です。

これからは、わかりやすい科学書、またタイムリーな出版が要求される時代です。ネットで何でも情報が得られる時代だからこそ、ネットでは得られないこだわりのコンテンツが提供できるよう、研究者や科学ジャーナリストが力を合わせて科学書籍をつくりあげていく環境づくりが重要課題です。

老舗のシリーズとして、ブルーバックスのジュニア版は作らないのですか？

たしかにそういうご提案をよくいただきますが、実際はなかなか大変です。同じ現象を語るにしても、子ども向けの本の場合、子どもの知識量や文章の理解力に合わせる必要があり、論理の展開も大人向けのようにはいきません。

子どもが抱く科学に対する興味や疑問とは、目に見える現象だったり自分の手で触れて熱さを感じたり、実際に聞いたり聞こえたりといった五感を通して不思議だと思うことや、気になったことが素直にことばになってあらわれます。「星はなぜ輝いているのか？」「海の水はなぜ減らないのか？」というように。

いっぽう大人になると、抽象的な思考ができるようになってきます。このくらいは知っているだろう、知っていてほしいというこちらの勝手な期待が、大人向けと子ども向けの本の間に知らず知らずのうちに溝をつくってしまっているのかもしれません。もちろん、すべての大人にブルーバックスの内容を理解してもらえるわけではありません。子どもにも理解してもらえるように五感だけでは捉えにくい宇宙や海底、地球内部で起こっていること、素粒子やより抽象的な数学へも関心をもってもらえるように、実験結果をグラフにしたり、図式化するなどして目に見える形にフィードバックしていきます。子どもにとっても大人にとっても、科学を捉える入り口という意味では「見える」ということを意識しながら科学書をつくっていくことを基本にしています。ちょっと背伸びしてもらえれば、中学生や高校生でも読んでもらえるはずです。

科学の本を読むとは、どういうことだと思われますか。

アインシュタインの公式 $E=mc^2$ を見て美しいと思うのと、俳句や短歌を読んだときに涙を流す感覚にどのような違いがあるのでしょうか。ベースにある美しいと感じ、涙を流す個々人の経験や知識だと思うのです。数式が嫌いな人も、活字が嫌いな人もいます。たとえば数学者が、「こんな文章を読むより、数式を見たほうがよくわかるよ」といったとしても、見方の違いだけなのかもしれません。

20世紀を代表する物理学者リチャード・ファインマンの伝記『マンガ　はじめまして、ファインマン先生』（ブルーバックス）があります。その中で彼は、いろいろなことに疑問を抱き、子どもながらになんでも自分で実験してしまうような好奇心旺盛な人だったようです。ファインマンだって、「夕焼けはなんで赤くて、空は青いのかな」と疑問を抱いたはずです。それを理論的に突き詰めていく道を選ぶのか、逆に詩的なほうに進むのか、子どものころのほんのわずかな経験の違いがそうさせるだけなのかもしれません。

よく、自分は文系だからと、「科学」と聞いただけで話をすることを避けるのをみかけます。文系も理系も関係なくてどちらの回路が働いているか、慣れているか、ちょっとしたプロセスの差だけで、両者に境界はなくて、行き着くところは結局、同じじゃないかなという気がしています。

僕らが日頃考えているのは、世の中の、自分の身の回りのことです。そこにはわかった気になっていることもあれば、まったく何の関心もないまま素通りしていることもたくさんあります。科学の本を読むということは、今まで知らないまま通り過ぎていた何か面白そうなことを気づかせてくれる出会いの「場」なのではないでしょうか。たとえば昨年ノーベル賞を受賞した青色発光ダイオード。なぜ青色をつくることが難しいのかを考えるだけでも、科学への興味は広がっていくはずです。

　ブルーバックスを一冊読んだだけで、「はい、わかりました」とその分野のすべてがわかるものは、そう多くありません。僕らは、科学の面白さを知らないまま素通りしている人たちの手をとって、ちょっとこっちに、と「科学の横丁」のようなところへ誘ってあげる水先案内人なのかと。

　こんな不思議なことが身の回りにたくさんあるのだと感じてもらえたら、こんどはひとりでもっともっとその先に進んでいただけたらうれしいですね。そして、ひとりでも多くの研究者や技術者が育ってくれることを願っています。

科学本の読みかた②

森羅万象に〝仲間〟を見つけよう

確実な知識を求めて

科学では未知をどうやって既知へと変えてゆくのでしょうか。

その方法は、ひとまず「仮説と検証」とまとめられます。仮説とは「まだ本当のところは分からないけれど、仮にこう説明してみよう」というほどの意味でした。例えば、「光はどうして空間を移動できるのか」という疑問があるとします。これに対して「光を伝える物質が空間に満ちているからではないか」と仮説を立てるわけです。実際、「エーテル」という物質があるために光や力が伝わると考えられていたことがあります。

ところで仮説は、それだけでは「誰かがそう考えてみた」という話に留まります。仮説は検証されてはじめてその真偽を確認できる。つまり、観察（観て察する）や実験（実際に験す）によって、本当に仮説の通りか否かをチェックするのです。先ほどのエーテルという発想は、紆余曲折を経て一九世紀末に実験で否定されるに至ります。

ここで大切なのは「検証できる」ということです。仮説を提唱した人だけでなく、第三者でも、条件さえ整えれば試せることが重要です。いろいろな人が追試を行って、仮説の妥当性が確認されると、それはやがて定説として認められてゆきます。つまり、未知が既知へと変わるのです。

ただし、いったん既知となったことも、その定説では説明できない現象や実験結果がたくさん見られるようになってくると、再検討にかけられたり、新たな仮説によって補強や更新する必要が出てきたりもします。このように、科学における未知と既知とはダイナミックに変化しうるものなのです。ここに科学の歴史を眺める面白さ、醍醐味もあります。

「同じ」ものをまとめて捉える

ここから科学のもう一つの特徴も窺えます。なんらかの物質や現象を実験で繰り返し確認できるということは、この世界に「同じ」とみなせるものがあるということです。

例えば、この地球上だけでも、どれだけの水分子があるのか分かりませんが、それらを全てひっくるめてH_2Oという化学式で表現します。ちょっとオオゲサに言えば、ありとあらゆる全ての水分子を、H_2Oというたった三文字で捉えてしまうのです。沸点は一〇〇度で氷点は〇度、水素原子と酸素原子はどのような形で結合しているかなど、

H_2Oに共通する性質も確認されています。

これは当たり前のように思えるかもしれませんが、考えてみたら途轍もないことです。というのも、実際には個々別々に存在している厖大（ぼうだい）な水分子を、有限の文字や言葉で捉えてしまうのですから！　科学では、そんなふうにして森羅万象のなかに「同じ」と見なせるものを見出して、共通する性質を捉えるのです。

また、当初は「同じ」だと思われていたものでも、観測技術が進展すると「違い」が見えてくることもあります。例えば、水はかつて万物を構成する元素だと考えられていました。しかし、一八世紀末頃になると、複数の物質の化合物であることが分かってきます。さらには質量の異なる同位体が発見されて、水分子にも軽水と重水があるといった違いによって区別されるようになります。

いずれにしても、科学では「同じ」ものを見つけ、その性質を確認することで対象をまとめて捉えるわけです。それぞれの分野では、どんなふうに仮説を検証したり、観測や実験、あるいは一般化を行うのか。その違いや工夫を見比べてみることもまた、科学を知る面白さの一つです。

対談

越境？ 横断？ 生命の謎に迫る新たな動き

宇宙と海の深い話

協力：海洋研究開発機構　撮影：高見知香

矢野創（JAXA宇宙科学研究所）×高井研（JAMSTEC／海洋研究開発機構）

「生命はいつ、どこでどのようにして生まれたのか？」

——大人も子どもも、誰もが一度は抱く不思議。

その謎を解く鍵として注目を集めている舞台が深海と宇宙だ。深海の海底には水素やメタンなどを含む熱水の湧く熱水噴出孔があり、地球最古の生命が誕生した場所の有力候補とされている。一方、宇宙では日本の小惑星探査機「はやぶさ2」をはじめ、各国が太陽系探査に向けた技術開発にしのぎを削っている。科学が専門化、細分化されていると言われて久しいなか、その両者を結び、常識を覆すようなプロジェクトの胎動が今、始まっている。

人類究極のテーマともいえる、生命の起源。その最前線にいるお二人に、話をうかがった。

「土星衛星エンケラドゥス」に出会う

――お二人の自己紹介からお願いします。

高井　僕は海洋研究開発機構で、超先鋭研究開発部門という組織で極限環境生命の研究をしています。深海は簡単に人が行ける場所ではありませんが、現場で直接観察したり、データを得ることで、生物の生きられる限界を直接的かつ直観的に摑むことができます。

　また地球という惑星は、誕生してから現在までの40億年で大きな変化を遂げています。変動の影響を受けやすい地球表層とは異なり、深海の世界はずっと同じような環境を保っています。そこにいる生命の機能を明らかにすることで、地球の昔の世界や進化についても解き明かしたいと思っています。

矢野　私はＪＡＸＡ宇宙科学研究所に所属する科学者です。研究のテーマは、太陽系、つまり太陽の周りを回っている地球を含む惑星などの天体についてです。なかでも太陽系が生まれて間もない頃の情報を残す小惑星や彗星といった、小さな天体の研究をしています。望遠鏡による観測や、地球に降って来た隕石（いんせき）や宇宙塵（うちゅうじん）の物理・化学的な分析、小惑星や彗星そのものに無人宇宙船を送り、その成り立ちを調べる探査……多角的な切り口で太陽系、ひいては惑星系一般の姿を解き明かそうとしています。

――塵（ちり）からどんなことが分かるのでしょうか。

矢野　今この瞬間にも地球上にこんこんと宇宙塵が降り積もっています。それは地球だけではなく火星、木星や土星の衛星にも降っていて、その中には天体の原材料だけでなく私たち生命の原材料や、それを育んだ海の原材料も含まれています。そういう観点から、生命の材料が宇宙のどこでどこまで複雑に進化するのかも分かるのでは、と思っています。

　それを突き詰めると、高井さんの研究に繋がっていくのです。

――共同研究は、具体的にどのようなプランになるのでしょう？

矢野　直径500キロメートルくらいのエンケラドゥスという比較的小さな衛星が、土星の輪のすぐ外側を回っています。2005年、その南極地域から海水が氷の粒になって噴き出しているのを、アメリカの探査機「カッシーニ」が発見しました。噴出物の化学成分を直接計ったところ、塩水であり、さらにその中に私たちの身体を作っているような有機物が含まれていることまで分かりました。

　人類は土星に探査機を送る技

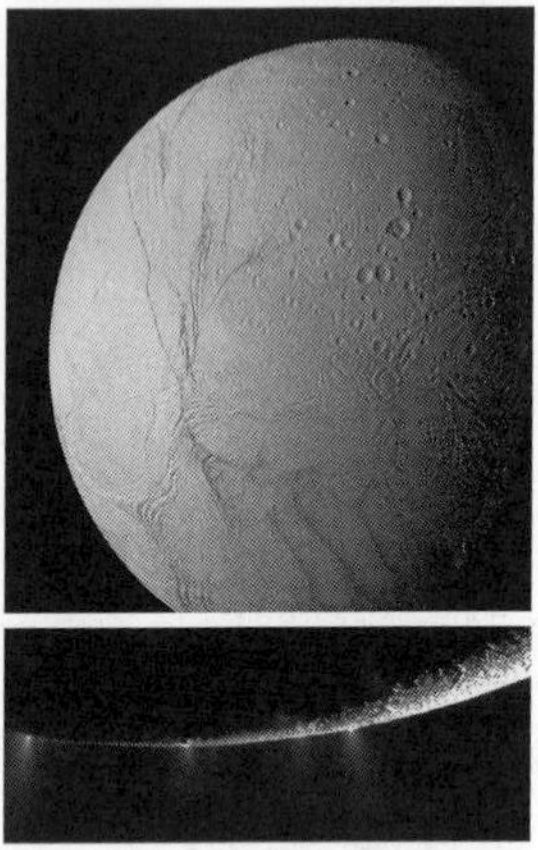

カッシーニが撮影した
エンケラドゥス(上)とその南極付近から海水が噴き出している様子
©NASA/JPL/Space Science Institute

術をすでに持っていますので、上空高くに噴き上げられている海氷の噴水の中に探査機を突っ込ませて、何回か氷のしぶきを浴びながら捕らえ、地球に持ち帰ってくればよい、というプランになります。

SFとリアルの境界

――そもそものきっかけを教えてください。

高井　地球の深海熱水域には最古の生態系の直系子孫が生き残っています。地球以外の天体に海があるなら、そこにも生命がいるだろう、というぼんやりとしたイメージは、矢野さんに会う前からありました。今から5、6年前のことで、土星の衛星、エンケラドゥスの存在も知っていました。エンケラドゥスはおそらく我々が唯一、今すぐにも地球以外の海にアクセスできる場所ですが、具体的な術を知りませんでした。そこで矢野さんに話を持ちかけられて、これはいけそうだ、と思ったんです。

矢野　私のほうで決定的に欠けていたのは海の知識です。

エンケラドゥスの噴水の発見があった2005年の秋に、ちょうどはやぶさ探査機が小惑星イトカワに着きました。そしてこれはサンプルリターンすべきだと思ったのです。その頃には木星の衛星エウロパやガニメデに、「内部海」といって地下深くに液体の水をたたえた海があるという仮説がありましたが、私はエンケラドゥスに注目しました。

――「地球外生命」というと、火星やエウロパのイメージがあります。

矢野　エウロパに無人の潜水艦型探査機を送って海中の写真を撮らせる、という想像をする研究者は当時からいましたが、太陽系探査を日常の仕事にしている私からすれば、それはまだ宇宙探査技術が追いついていない、いわばSFの世界。1万歩譲って、仮に着陸探査機が自ら発熱して、最も薄そうな「カオス地形」の氷の地殻を3キロメートルほど垂直に融かし、100キロメートル下の内部海とつながった浅い地下湖に泳ぐ「何か」の撮影に成功したとしても、その映像をどんな通信技術を使えば地下深くの海中から地球まで送り届けられるのか……。

一方エンケラドゥス噴水サンプルの持ち帰りミッションならば、2010年代までの宇宙探査技術を組み合わせることで、ほとんどの課題をクリアできます。はやぶさは決して「世界で最もエレガントなミッション」ではなかったけれど、どうすれば小天体からサンプルを持ち帰れるか、一つの成功例を世界中に証明することができました。そこで、2010年6月のはやぶさの地球帰還直後から、将来構想としてエンケラドゥス探査について真剣に考え始めました。海氷やその中に混じった有機物や海底の砂粒をどうやって壊さずに捕まえて、地球まで送り届けるのか、地上の研究室ではどうすれば地球生命に汚染されずに、エンケラドゥス生命の「しるし」を探せるのか……。そこで日本のアストロバイオロジー研究の第一人者、東京薬科大学の山岸明彦先生に、こんな計画に今後20〜30年のスパンで協力してくれる深海生命の専門家を紹介してほしいと相談したら、「一人しかいないんじゃないか」と言って、高井さんの名前を教えてくれました。２０１１年、東日本大震災の一ヶ月前のことです。

――「宇宙」と「海」、私たち人間からすれば上と下、正反対の位置。奇想天外にも見えますが、違和感はありませんでしたか。

高井　僕は微生物学、地質学、地球化学といった異分野との横断的な研究のなかで生きてきたので、自分があまりよく知らない宇宙を扱うことに違和感はありませんでした。逆に異分野の人とやっていくことは、科学の世界ではもう当たり前のことだと思っています。

学術としての壁は感じていませんでしたが、現実に壁は存在します。たとえばＪＡＭＳＴＥＣとＪＡＸＡといった組織として。難しいのは研究分野間よりも現実の社会に壁があることで、そこを破る勇気やモチベーションを作るのにかなりの決意が必要です。

矢野　実は２００５年のエンケラドゥスの大発見の後、「これからは比較惑星海洋学という学問を創らなくてはいけないと思う」と言ったら、当時の宇宙研の教授に「お前は自分が生きている時代が分かっていないんじゃないか？」と一蹴されました。

分野を隔てる壁の正体

――もう少し詳しく聞かせてください。

高井　科学では、ある一つの大きな研究分野があると、そこにはすでに秩序だった世界が出来上がっています。ある意味封建的な秩序が備わっていて、若々しい野心に燃えた若者が勇んで入って来ても、その中で真っ直ぐ成長していくのはなかなか大変なことです。そうした若者の研究がすぐに認められるなんて、まずないでしょう。

でも反対に、学術の「分野」というものを見ると、人間が作った「分野」なんて実にちっぽけなもので、学術という大陸にまばらに点在している感じで、その境界には広大な荒野が広がっているんです。たとえば海という対象を見ると、海の中にいる生物や、その海を作っている地質学や、海の成分を決めている化学……地球そのものの動きや現象は全てがリンクしています。「僕の興味の対象はここです」と限定せずに、子どものような純粋な心で「なぜ生命がこんなふうに生きているのだろう？」と思うなら、広大な荒野を含めて全部を知る必要があるのです。そしてその荒野を開拓するには、隣国と手を結んで立ち向かわなければならないのです。

――高井さんはJAXAについてどんな第一印象でしたか？

高井　実は、僕はそれまでJAXAという組織が大っ嫌いだったんです（笑）。まともな生命探査の話すら聞いたこともなかったのに、突然「はやぶさ」の探査の目的がそうであったかのように書かれていて、「何が生命探査じゃ、ケッ」と思っていました（笑）。

矢野　食わず嫌いだったんですよね（笑）。

高井　僕らは深海探査をやってきたから、探査のリスク、面白さを知っています。探査というのは概ね失敗する確率が高いんです。でもリスクを超えるゴールがあるなら、科学者は挑戦したい。ＪＡＸＡにもそんな人がちゃんといるのを知って嬉しかったんです。

――探査と他の手法の違いは何でしょうか。

高井　実験室や机上で地球外生命を研究するのは、自分たちで好きに設定しているわけだからある意味ゲームみたいなものです。でも今この現実の世界にどんな生命がいるかを探しに行くには、我々の想像を越えた範疇（はんちゅう）までアンテナを張り、想像力を膨らませなければならない。深海に行けばそれがよく分かります。自分の思い描いていた想像なんて、あっという間に現実に崩されます。

矢野　小惑星イトカワの地形もまったくそうでしたね。

高井　宇宙と海洋は似ているところがあって、どちらも探査技術がなくては目的地まで行けない、理論と実証の両輪で動く領域です。

――理論と実証とは、どの分野でも対（つい）になって発展しているのでしょうか。

矢野　研究対象によって、物質分析や模擬実験といった実証に馬力がある場合と、理論や計算が優先される場合があります。

　たとえば私たちの宇宙がどのように誕生したのか、ということを研究する宇宙論について言うと、どう考えても理論先行型です。しかし重力波という観測可能なキーワードが出てきて、ようやく実証ができるようになりそうです。高井さんの言葉を借りると、宇宙論の分野でもようやく純粋に知的なゲームから、人間の想像力が自然の真の姿に迫いつけるかが試される時代になった。そんな人間と自然のバトルロイヤル的なところが、科学の醍醐味です。

私たちが住んでいる太陽系の材料や、生命の起源についても、かつては断片的な情報しかありませんでした。これまで地球に降り注ぐ宇宙塵や隕石の分析、夜空に光る流れ星の分光観測からしか分からなかったことを、ふるさとの小天体から直接採ってきたサンプルから解き明かす。そんな往復探査やサンプルリターンの技術がはやぶさによって実現したことで、見えてくる景色も変わってきたのです。

高井　そこでエンケラドゥスに行き、しぶきを持って帰ってくるというプロジェクトを一緒に推進することになりました。

探査せずにはいられない理由

――プロジェクトのゴールはどこでしょうか？

高井　我々の現役研究者生活の間に行って帰ってくるのがゴールです。

矢野　高校生が計算できるくらいのシンプルな軌道力学でも土星に届くほど強力な推進力をもつロケットを打ち上げられれば、地球と土星の往復でも十数年しかかかりません。今ある技術だけで賄(まかな)っても二十年程度で帰ってこられるでしょう。

高井　もうすぐ僕は現役のタイムリミットが近づいているような気がする。

矢野　どれだけ不摂生かによってタイムリミットが違います（笑）。仮に本日この対談をもって某A国と某B国が協力してプロジェクトを行います、となれば、最短の開発期間を経た打ち上げは２０２０年代前半。その時にＮＡＳＡが開発中のＳＬＳ（スペース・ローンチ・システム）という強力なロケットが使えるなら、２０３０年代にはサンプルを地球に持って帰って来られるはず。もっとも国際プロジェクトの推進には地上の様々な制約がかかるから、現実にはさらに数年後になる可能性が高いでしょうけれど。

高井　エンケラドゥスの売りは矢野さんが言ったように、それがとても「リアル」だということです。火星やエウロパについても、マスコミはあり得なさそうなこともさもあるように書きますが、現実に生命を見つけることは宝くじに当たるより確率は低いでしょう。しかしエンケラドゥスは、もしかしたら本当に当たるかもしれないんです。エンケラドゥスからのサンプルに本当に生き物が入っていたら、戯れ言でやっていた人はたぶんその重圧に負けますよ。人類史上初めて地球外生命を見つけることができるかもしれない現実を前にして、「検出をよろしく頼むよ」と任されたのにうまくいかなかったら、「あのアホのせいで生命が見つからなかった」と未来永劫言われるでしょう（笑）。そういったリアリティと覚悟をもって研究を進めるなかで、本当に自信があり技術のある人たちと「生命って何?」と、初めて本当の議論ができると思うんです。

——地球外生命や、たとえば光より速い物質でも、確認できないものは妄想か、あるいは現実味のある仮説か、どちらともとれてしまいそうです。

高井　サイエンスの重要なところは、自分の脳内空間で見えているだけでは、まだ真理とは呼べないということです。自分の目には見えていて、頭の中に描くことはできる。しかしそれを多くの人に共有・実感してもらって初めて真実に近づくんです。僕は深海の世界でその体験を何度もしました。何万回喋るより、本を何冊書くより、たぶん見てもらうのが一番です。

矢野　たとえば203X年Y月Z日、エンケラドゥスから採取したサンプルの中に生命が発見されたとします。きっとその日の夜から、全人類の星空を見る目が変わるでしょう。土星は肉眼で見えますし、小さい望遠鏡で覗けば土星の輪まで見えます。輪のすぐ外側にエンケラドゥスがあり、その光の中には、地球生命とは違う道筋で誕生した生命、私たちの「お隣さん」がいるんだ、と思えるようになる。高井さんの言う「多くの人に共有・実感して欲しい」のはそこだと思います。

現代科学は知を愛しているか？

――今回のプロジェクトは新しく分野を作るということでしょうか？

高井　それは人間側の勝手な都合で、作るというのは変なんです。無いものを作ったわけではなく、そもそも自然の真実はずっとそこにあるんですから。

矢野　人間の知性が生命を創り出した自然に追いつけるか、ということですね。

――「詩と科学は同じところから出発したばかりではなく、行きつく先も同じなのではなかろうか…」と書いた物理学者・湯川秀樹さんのエッセイ「詩と科学」のようですね。

高井　その通りだと思います。科学と詩は非常によく似ている。そこにある現象は詩みたいなもので、見る側がどのようにそれを読むか、読む側にかかっているところがあります。ほとんどの人は、自分の世界観の中でしか目の前の現象を捉えていません。でも詩そのものが意味するのはもっと広くて、それを我々は見出して感知していかなくてはなりません。科学は世界全体をまだ全然表わし切れていないと思います。だからそこに科学の面白さと奥深さを感じるわけですよね。

矢野　よく挙げられる例ですが、アイザック・ニュートンは「サイエンティスト（科学者）」ではありませんでした。彼は自らを「フィロソファー（哲学者）」と呼んだ。原語のギリシャ語なら「知を愛する者」という意味です。現代でいう芸術と自然科学はニュートンの時代でもまだきれいに分かれていなくて、渾然（こんぜん）一体になっていました。

細分化して要素還元することで非常にとんがった部分を理解しやすくしていく。それが現在のサイエンスの手法です。科学の「科」とは、小さな専門領域を示す言葉です。だけど本当は違います。自然に対する知を求める、愛してしまう、という行為ではないでしょうか。

高井　再生医療のように、社会の中で効率的に解決して欲しい問題もあります。iPS細胞は素晴らしい。しかし一番コストパフォーマンスがよい、最大効果を出せるのが優秀な科学者というのは間違いで、科学する本当の力とか能力、深さとは別問題のはずです。

矢野　もしも現代の科学が「知への愛」を失いかけているなら、それは経済的なリターンを、投資効果を示してください、と言われる「技術」が科学と混同された世界の構造のせいでしょうね。

高井　今あるなかから最適解を導くのが現在の科学の先端ですが、人間の想像力自体の基盤を引き延ばさないと、科学の未来は切り開けないでしょう。その一番のアンチテーゼが「探査」だと思っています。

矢野　人間の歴史とは探査の歴史そのもので、常に経済性だけを優先させてきたわけではありません。人類史の最先端にいる現代の私たちは、探査の歴史のフロンティアに立っているとも言えます。過去の人ができなかったことを現代人が可能にするためには、ある種のリスクをとって探査に挑まなくてはならない。そうして分からなかったものを分かるように、見えなかったものを見えるようにしていくことで、人間の歴史はより強固なものになっていくのです。

高井　科学はそれを推進するための一つの原動力ですね。まずはあそこに何かあるかも、という理論を実証するために行く。実際行ってみたら違う、「全然違うやん！」というのは、理論を強固にするんです。「そんなことになっていたとは全く想像もしてなかった。でも現実を知ってよく考えてみると、当たり前といえば当たり前やな」と。あるいは技術がぽんと先に来るかもしれない。どちらにしても両方必要です。

もちろん昔とは違って単なる情熱や想いだけではダメで、そこにいく確固たるロジカルだったり目的を見据えた理論の積み重ねが必要ですが、エンケラドゥスには十分にそれがあります。

あとは、きちんと出世して、多少のわがままを押し通せる立場になる必要がありますね。矢野さん、頑張りましょう（笑）。

やの・はじめ

１９６７年生まれ。ＪＡＸＡ宇宙科学研究所・学際科学研究系助教。英国ケント大学院宇宙科学科博士課程修了。慶應義塾大学大学院システムデザインマネジメント研究科／特別招聘准教授。米国航空宇宙局ジョンソン宇宙センターなどを経て現職。専門は太陽系探査科学、アストロバイオロジー。日欧米で10以上の宇宙実験、探査プロジェクトに従事。現在は「エクレウス」「はやぶさ2拡張ミッション」などに参画。著書に『星のかけらを採りにいく』（岩波ジュニア新書）、共著に『宇宙には、だれかいますか？』（河出書房新社）、『生命の起源はどこまでわかったか』（岩波書店）など。

たかい・けん

１９６９年生まれ。海洋研究開発機構超先鋭研究開発部門部門長。京都大学大学院農学研究科水産学専攻博士課程修了。極限環境生物から地球生命の起源まで研究する。２０１２～２０１４年ＪＡＸＡ宇宙科学研究所客員教授を兼任。著書に『生命はなぜ生まれたのか』（幻冬舎新書）、『微生物ハンター、深海を行く』（イースト・プレス）など。

CHAPTER

III

未来を映す

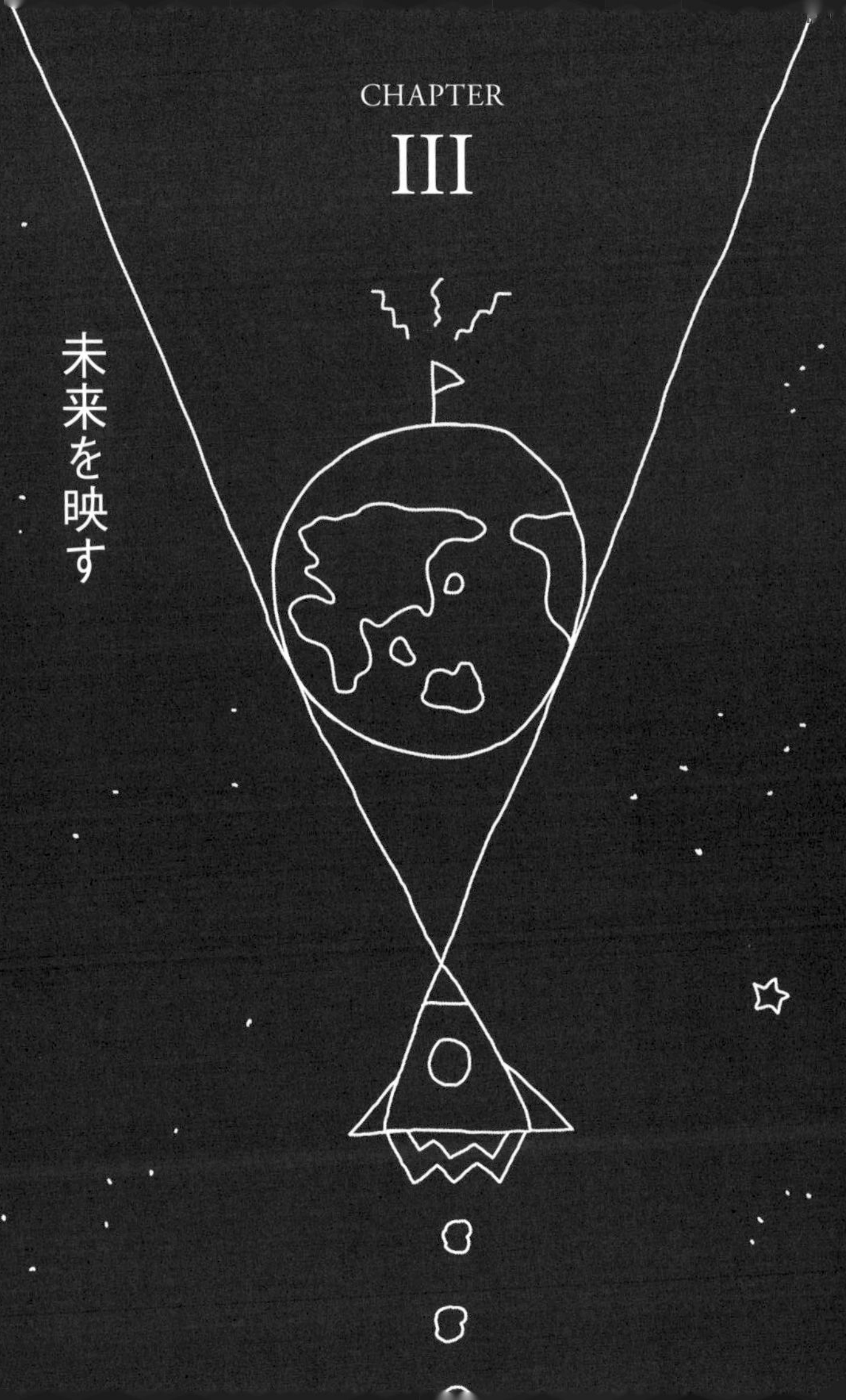

16 私たちが〈身体性〉を備えるとはどういうことなのか？

選者……岡田美智男（認知科学、社会的ロボティクス）

1冊目

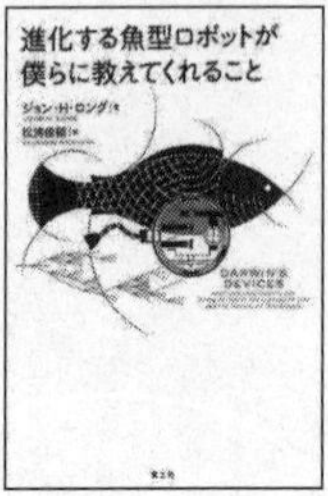

進化する魚型ロボットが僕らに教えてくれること

ジョン・H・ロング著　松浦俊輔訳
青土社、2013年刊

砂浜の上を一匹の蟻（あり）がせわしなく歩いている、その後には延々と続く蟻の足跡。この蟻の残した足跡はなぜ複雑な絵模様を描くのか。なにか道にでも迷ったのか、それとも空腹でフラフラなのか。これは認知科学や経済学の分野で活躍したハーバート・サイモンが『システムの科学』という著書のなかで提起した問いの一部であり、〈サイモンの蟻〉の話として知られている。

「まぁ、小さな蟻といえども複雑な筋骨格系をもち、少しは心だってあるのではないか」「子どもたちのためにせっせと餌を運んでいるんじゃないのか」と、ともすれば複雑な足跡を残すことになった要因をその蟻という個体に一方的に帰属させて考えやすい。一方で、蟻の目線から考えてみるならどうか。目の前に迫ってくる砂浜の起伏や小石は思いのほか大きくて、ただそれを避けるように歩いていた、その結果として複雑な絵模様を描いただけなのかもしれない。その意味で、その複雑さを生み出した要因を蟻の内部構造やそれを取り巻く環境のどちらか一方だけに帰属させて考えることはできない。それは、その間に分かち持たれたものといえるのだ。

これまでどのようなことを考え、どんな研究を進めてきたのか。自分自身の拙い歩みを振り返ってみると、その試行錯誤の様子はまさに「サイモンの蟻」の残した足跡のようなものかもしれない。なぜだか真空管やトランジスタの原理に憧れを抱き、電子工学を本格的に学ぼうと大学に進んだのだけれど、偶然も手伝ってか「音声科学」の魅力に出会うことになった。次第に、コンピュータの処理能力にあわせ、音韻、単語、フレーズ、センテンスとその研究のスコープを広げるなかで、いつの間にか、その興味の中心はコミュニケーション論や認知科学、社会的相互行為論の領域に移る。そして20年前に、ジェームズ・ギブソンの「生態心理学」の世界観に出会ったのだ。その後は、ギブソンのいう「知覚システムとしての身体」というものをなんとか形にしたくて、小さなロボットたちと格闘する日々を続けてきた。いまでは、これらの分野は「身体性認知科学」「認知発達ロボティクス」と呼ばれるものとなっている。

あっちに行ってはちょっと立ち止まり、進行方向を変えたと思うと、また少し歩を進める。もう少し要領よく振る舞えればよいが、行く先々がそこで見通せるわけでもない。行き当たりばったりだけれど、いろいろな幸運も重なり大切な先達や書物と出会うことができた。ここで紹介するのは私にとってターニングポイントとなった2冊の本、そして最近になって手にした本である。

はじめに紹介するのは『進化する魚型ロボットが僕らに教えてくれること』である。「私たちはなぜロボットを作るのか」との問いに、多くのロボット研究者は「私たちの生活を助けてくれる、便利な機械を作ろうとしてるんだよ」と答えるだろう。しかし著者である生物学者ジョン・ロングらの狙いは、読者の想像を遥かに超えるものだった。すでに絶滅したはずの魚の進化のプロセスを辿るために物理的な実体を伴うロボットを作り、実際に水槽の中で泳がせながら探ろうというのだ。

最古の魚型脊椎動物はどのようなものだったのか。ホヤのような動物は、どのようにして魚のような脊椎動物になっていったのか。それを明らかにするために、すでに絶滅したはずの魚のロボットを作る、それはどのように？　そのことで進化のプロセスなど解明できるのだろうか。はじめは半信半疑で読み進めたけれど、当人たちはいたって大まじめである。半分だけタネ明かしをすると、まずはオタマジャクシのような、かわいい尻尾のついたロボットを作り、水槽のなかで実際に泳がせてみる。どんな尻尾を備えるものが素早く泳げ、餌（ここでは光源）を捉えることができるのか。あるいは最後まで捕食者から逃げのび、配偶者を得ることが可能なのか。実際に進化圧をかけながら、どのような力学特性を備えたものが生き残れるのかを競わせるのだ。

このシンプルなライフゲームに勝ち残ったロボットたちの特性（＝遺伝子）を組み替え、次の世代の魚型ロボットとして作り直す。この遺伝子操作、世代交代を何世代にもわたり繰り返せば、シンプルな魚型脊椎動物の進化していった過程を再構成できるのではないかというわけである。

世代交代のたびに、物理的な魚型ロボットを作り替えていく様は、ちょっとドロ臭く、涙ぐましい。彼らの仮説通りにことが運ぶわけでもない。けれども、この試行錯誤の繰り返しによって、次第に俊敏に泳げる脊椎骨をもつ尻尾へと変化していく。生態学的な妥当性を損なうことなく、その進化のプロセスのあり得る姿を示すことができるのだ。

本書に興味をもったのは、この進化研究のユニークなアプローチに惹かれたためだろう。それと彼らの拘っていたことは、魚型ロボットの身体に備わる物理的な特性とその周囲の環境との切り結びから生じるオリジナルな特性、つまり「身体性」というものだった。

この「研究対象となる現象を実際に作り出しながら、その背後にある原理を探る」という方法論は、科学的な研究手法の中でよく知られる「分析的なアプローチ」に対して「構成論的なアプローチ」と呼ばれている。本書にある魚型ロボットの進化研究に限らず、私たちが関心を抱いてきた音声科学、人工生命、認知ロボティクスと呼ばれる研究領域でも何度か登場していたものだ。

例えば私たちの音声とはどのようなものなのか、どのようにして生みだされるものなのか。その音声波形を分析的に切り刻んで調べようとすると、その「音声らしさ」はどこかに隠れてしまう。むしろさまざまな要素を組み合わせ、試行錯誤しながら、その音声の現象を生み出してみる。そうして、その音声の生成を支える最小限の構成要素、その背後にある生成原理や機序を特定していくことも可能なのだ。興味深いことに、この「音声を生みだしながら、その音声生成の原理を探る」という試みは、フォン・ケンペレンによって、すでに２００年以上も前（１７７９年）に行われていた。革で作られた音響管の形状を手で握りながら変化させ、「あー」「いー」という音声を生みだす声道形状を一つひとつ探っていく。まさに手探りの研究といったところだろう。

１９５０年代に、米国の音声科学のメッカであるハスキンス・ラボラトリーで活躍したパターン・プレーバックという音声生成装置も、その後の音声科学の考え方を牽引することになる「音声を生成しながら、それを分析する（Analysis by Synthesis）」という方法論に基づいている。音声を特徴づけるフォルマント周波数パターンをシートの上にペンで描き、機械に読み取らせながら、「ば」「だ」「が」などの破裂音の聞こえに影響する特徴を一つひとつ探ったのである。

こうした音声科学における研究事例の多くに触れていたこともあって、私自身もまた「コミュニケーション研究にロボットが使えないだろうか」、「コミュニケーションにおける身体の役割とはどのようなものか」、そして「そもそも身体性とはどういうことなのか」を小さなロボットを作りながら探ってきた。コミュニケーションを支える「コト」やその関係性を生みだしながら、その背後にある〈身体性〉の意味をもっと探れないかとの思いからである。

このジョン・ロングの「進化する魚型ロボット」の話は、「それは特にロボットを使わなくても可能な研究なのでは?」「どうして、実体を備えたロボットに拘るの?」など、時として厳しい問いかけに折れそうになったとき、とても勇気を与えてくれる一冊なのである。

2冊目

「私」とは何か

ことばと身体の出会い

浜田寿美男著

講談社選書メチエ、1999年刊

コミュニケーションを支える〈身体性〉に興味をもったのは、自動販売機からの「アリガトウ」問題と呼んでいる現象に出会ってからだと思う。その自動販売機から「アリガトウ」の合成音は聞こえてくるのだけれど、私たちに「お礼」の気持ちとして届いてこない、これはどういうことなのか。そんなことを悶々と考えていたとき、たまたま目にしたのが浜田寿美男先生の著作の数々だった。

発達心理学や供述分析を専門とする浜田寿美男先生の発想の原点にあるのは、「発達論的還元」という考え方である。「うちの子は2歳になったけれど、どうして言葉がうまく話せないの?」という問いに対して「私たちはなぜ言葉が話せるのか。卵からスタートしたはずの人間がそもそもなぜこんなややこしいことができているのか」と、自分たちの見方そのものを疑って、できうる限り「ゼロからの視点」に立ち返って考える。そこで生まれた論点の数々は、門外漢だった私にとって、どれも腑に落ちるものだった。

ロボットを相手にしているとき、そこに目となるカメラを取り付けても、はじめからその目は外を向いてくれるわけではない。外に注意を向ける、そうした志向性はどのようにして生まれるのか、そこから議論をはじめなくてはならない。ロボットを組み上げるというのは、まさに「ゼロからの出発」であり、浜田寿美男先生という心強い先達に出会えたのはとても幸いなことであった。

3冊目

新版 アフォーダンス
佐々木正人著
岩波科学ライブラリー、2015年刊

この本はジェームズ・ギブソンの「生態心理学」の考え方を広く紹介する書物として出版され、すでに20年以上を経過しているけれども、色褪せることなく版を重ねている。当時、「プラン認識に基づく対話理解」という仕事がすこし暗礁に乗り上げていたころ、早稲田大学の所沢キャンパスで開催された「マクニール・パラダイム」の研究会に出かけ、そこでこの本を執筆されていた頃の佐々木先生とお会いしたのだ。「ぼくらはねぇ、頭の中にいろんなモジュールが組み合わさっているなんてことを考えたくないんだよ」と、「情報処理アプローチ」の染み付いてしまった頭では容易には理解できなかったけれど、数ヶ月が経ったあたりから「直接知覚」という感覚は次第に馴染んできた。それ以来、佐々木正人先生やギブソン理論との付き合いは、かれこれ30年近くも経過してしまったことになる。

あるとき、ギブソニアンの集結するコネチカット大学の「知覚と行為の生態学的研究センター」を訪ねる機会があった。ホストを務めていただいたマイケル・ターベイ先生に連れられて訪問したのは、先生の兼務先であった米国のハスキンス・ラボラトリー。その地下には、あのパターン・プレーバック装置がひっそり展示されていた。奇遇にも、行為と知覚とのカップリングを基本とするギブソン理論と学生のころに学んでいた音声科学における「Analysis by Synthesis」の考え方は、その背後でちゃんと繋がっていたのだ。

おかだ・みちお
1960年、福島県生まれ。NTT基礎研究所やATRを経て、現在、豊橋技術科学大学 情報・知能工学系教授。他者を味方にして目的を果たす「む〜」や「ゴミ箱ロボット」など、「弱いロボット」を研究している。著書に『弱いロボット』(医学書院)、『〈弱いロボット〉の思考　わたし・身体・コミュニケーション』(講談社現代新書)、編著書に『ロボットの悲しみ　コミュニケーションをめぐる人とロボットの生態学』(新曜社)など。

17 科学的な思考とは何か？

選者……吉成真由美（サイエンスライター）

1冊目

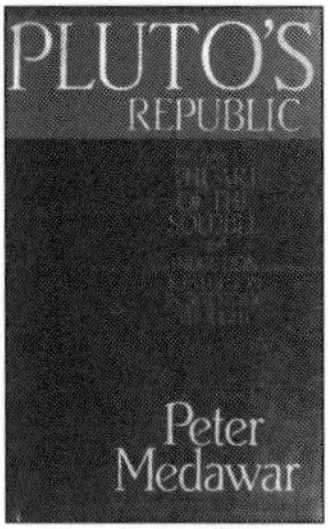

Pluto's Republic
ピーター・メダワー著
オックスフォード大学出版局、1982年刊［日本語版未訳］

イギリスの生物学者ピーター・メダワー（1960年ノーベル賞受賞）著『Pluto's Republic』（プルートの国家）は、有名なプラトンによる『国家』（Plato's Republic）をもじった「裏国家」とでも訳すべき題を冠する、科学エッセイ集である。

この「裏国家」に属する市民とは、たとえば、精神分析学者、IQ心理学者、未来学者、反啓蒙主義者、感情的な知識人、神学者などとなる。なぜこれらの人々が本当の意味での科学者でないかということを明らかにする過程で、メダワーははからずも「科学とは何か、科学者とはどのような人間か、どのような論理的な思考が科学的発見や理解の進展に結びつくのか」といったことを明らかにしていく。

たとえば「科学的思考における演繹と直感」の章では、科学というものについての認識には二つあるという。一つは科学を「想像的で探求的な直感を源泉とする偉大な知的冒険」であると考えるもので、もう一つは科学を、「事実を基にした批判的で分析的な活動である」とするもの。メダワーは、科学には両方が必要であり、科学的な論法とは、「可能性と実際との間の会話であり、仮説の形成と修正」であるとする。もし科学がデータを収集してそこから「帰納的」に仮説を立てるものなら、全ての仮説は正しくなければならないが、そうなっていない。なぜなら、科学の方法とはもっと「演繹的な」ものであるからで、そもそも仮説もないのにデータを集めることはできない。仮説を立ててそれを検証するという演繹的な方法こそが科学の王道であるというわけだ。

この本に散見する裏国家の市民たちへの痛烈な批判は、30余年を経て読むと、あまりに的確なので驚いてしまう。たとえば、哲学者アーサー・ケストラー（1905-1983）は碩学（せきがく）の徒ではあっても「本当の科学者がどのように仕事をするのかということを本質的に理解していない」し、「適者生存」という言葉を生み出した社会学者ハーバート・スペンサー（1820-1903）の、あらゆる社会現象に「進化」の概念を当てはめようとする「一般進化システム論は全く役に立たない」し、ルイス・ターマン（1877

－1956）のような、たった一つの数字で知能が表現できると考えるIQ心理学者にいたっては、「まったく誰からも何も学ぶことができない輩であるという印象をうける」し、ダーウィンのいとこでバリバリの遺伝決定論者フランシス・ゴールトン（1822－1911）は、「生得的な能力を超えて向上しようとする人々の努力を完全なムダだと決め付ける不遜」であると潔い。また、生物学者にして思想家のピエール・テイヤール・ド・シャルダン（1881－1955）による大ベストセラー『現象としての人間』（Le Phénomène Humain）は、キリスト教的な考えに基づく人間至上主義的な進化論だったが、これは根本的に「反科学的であり、息苦しい形而上的見栄」に過ぎないと喝破している。メダワー自身がぬきんでて優れた科学者であったから、その透徹する視線を通したこのような背筋のすっきりとした判断を読むと、視界がぐっと開けてくる。

また、フロイト派に代表される精神分析学というのは、そもそも反証ということを可能にするような「内容」そのものがない、単なる宣言にすぎず、「20世紀における最も途方もない自信たっぷりの知的トリックであり」、精神分析学者というのは、「概念の不毛さを説明力だけでカバーしようとする」連中ということになる。20世紀前半にフロイトがアインシュタインを凌ぐほどの人気を博していたのが、今となっては陽炎のようであることに鑑みるに、メダワーの慧眼が一層際立って見える。そして哲学者は（ここでは直接はハーバート・スペンサーのことを指しているが）「生ぬるい快適さを得るために、もっぱら彼ら自身の利益のために」システムを生み出すのだと手厳しい。

これに対して、ジェームズ・ワトソンの『二重らせん』は「必ずや広く長く読み継がれていく古典」であり、この本は科学の「仮説—演繹」手法を見事に使ったスタンダード・ケースを示していると、強く支持しており、メダワーが科学者としてのワトソンを尊重していることが読み取れる。ワトソンは際立って優れていたのみならず、その能力を目いっぱい使わざるを得ない重要な問題に遭遇したのだから、まさに「ラッキー・ジム」というあだ名にふさわしいとも言えるが、科学における運というものは、全くの偶然ではないとも説明している。

他にも「科学と文学」の章で、似非（えせ）ではない本当の意味での科学と文学とは、相互に排他的なものではなく、むしろ双方とも真実をあぶりだすという点で似ていると、アリストテレスやシェリー、ポッパー、ニーチェなどを引き合いに出しながら説明する。この論は、自然科学と人文科学の乖離（かいり）を指摘したC・P・スノーの『二つの文化と科学革命』の先を行く。

「科学者は、自由に想像の翼を広げると同時に懐疑的であり、創造的であると同時に批判的でなければならないし、自由であると同時に非常に緻密（ちみつ）な思考能力を持ち合わせていなければならない。科学の中に詩を見出すと同時に、現実的な管理能力も必要とされる。」

本当の科学的思考を見分けるメダワーの視線はすがすがしいほど鮮明である。

2冊目

進化とは何か
：ドーキンス博士の特別講義
リチャード・ドーキンス著　吉成真由美編訳
ハヤカワ文庫ＮＦ、２０１６年刊

ピーター・メダワーを「科学者の中で最もウィットに富んだ書き手」と強く支持したのが、本書を著した、生物学者にして啓蒙家リチャード・ドーキンス（オックスフォード大学）だった。そのドーキンスが、１９９１年に英国王立研究所で行った、「宇宙で育つ」と題するクリスマスレクチャーを再現し、新たなインタビューを加えて一冊にまとめたものが『進化とは何か』だ。

マイケル・ファラデーによって１８２５年に青少年のために始められたクリスマスレクチャーには、多くの優れた科学者達が参加している。ファラデー最後のクリスマスレクチャー『ロウソクの科学』（岩波文庫）はつとに有名。

太古の時代にあっては０％の目より１％の目のほうが、あるいは半分の目や翼でも生存競争には有利だった——まったく微々たる違いなのだけれども、この違いが積み重なることによって、進化がゆっくりと進むという話。人間を含めた地球上に生息する全ての生物は親類なのだという話。またニコ・ティンバーゲンによるジガバチの実験を説明して、昆虫から人間まで脳を持った生物は、すべて脳内にヴァーチャル・リアリティーを構築しながら生きているのだという話など、ドーキンスはわれわれの認識力を広げるために実験をふんだんに取り入れて説明する。

この本は、進化の問題を考える上で最も重要な、われわれの認識をゆるがす「永い時間の概念」や「デザインの問題」、「微々たる違いの積み重ねによる力」といった事柄を、実にわかりやすく見事に説明していて、これ一冊で進化の要点がすべてわかる優れた進化論入門になっているのはもとより、ドーキンスの著作のエッセンスが網羅されているので、彼の世界への入門としても格好の書になっている。

また、新たに行ったインタビューにより、ドーキンスの著作の意図が一層明確になり、現時点で「進化」についてどのように考えているか、スティーブン・J・グルードの「断続平衡説」理論の問題点はどこにあるか、「適応進化」と木村資生が提唱した「中立進化説」とはどう関係しているのか、インターネットを通じて集団知能に基づいた「集団自己組織化」が進むのか、科学は宗教に取って代われるか、人生の意味とはどのようなものかなどについて、彼の本音がいろいろ聞けるのも楽しい。

この本は、今私達が存在するこの世界が、いかに驚くべきすばらしい真実にみちみちているか、科学に忠実に進化を説明することで明らかにしている。まったく20余年前に行われたとは思えない優れたレクチャーは、内容的にかえってますます時代に強く訴えかけるものになっていて、ドーキンスの洞察力を証明する結果となっている。

人間は、脳が大きくなることによって、脳内にしっかりとした宇宙のモデルを構築できるようになり、自分が立っている地点のみならずその前後に光を当てて行動を決めて行くことができ、迷信や偏狭さや霊といったものを脱ぎ捨てて、この宇宙でやっと大人になっていくことができるのだろうと結んでいる。

3冊目

マインズ・アイ
：コンピュータ時代の「心」と「私」（上・下）
ダグラス・ホフスタッター、ダニエル・デネット著　坂本百大監訳
阪急コミュニケーションズ、1992年刊

もし脳が2つに分かれて別々の容器で生かされ、1つの脳であった時と同じように2つがうまく連携しているとしたら、それは1つの脳といえるのか。もしそれが4つに分かれていたら、もし100個に分かれていたら、もし100億個に分かれているとしたら、どうだろう。どこに「私」という実体は存在するのか。

（アーノルド・ズボフ『ある脳の物語』）

もし昆虫ロボットが、本物のように赤ん坊がすすり泣くような調子の悲しげな泣き声を上げ、血のように真っ赤な潤滑液を流すとしたら、たとえただの機械だとわかっていても、果たして助けを求めているこのロボットをハンマーで叩き壊すことができるか。

（テレル・ミーダナー『動物マークⅢの魂』）

本書は認知科学者ダグラス・ホフスタッターと哲学者ダニエル・デネットが、コンピュータ時代の「心」と「私」というものをテーマに、様々なエッセイや文学などから抜粋・編集し、短評を加えたもので、1981年に初版が刊行され、ベストセラーとなった。右記の『ある脳の物語』や『動物マークⅢの魂』をはじめ、コンピュータが人間にたがわない知能を持っているかどうかを調べる「チューリング・テスト」を考え出した数学者アラン・チューリングによる『計算機械と知能』や、SF作家スタニスワフ・レムによる『王女イネファベル』、アルゼンチンの作家ホルへ・ボルヘスによる『円形の廃墟』、分子生物学者ハロルド・モロヴィッツが「シュレディンガーの猫のパラドックス」を説明しながら還元主義に疑問を投げかける『心の再発見』など、カラフルで面白い話ばかりである。

ホフスタッターといえば、『ゲーデル、エッシャー、バッハ』や『メタマジック・ゲーム』などの、人間の認識についての科学エッセイで有名だが、『マインズ・アイ』はよりぬかれた多彩な作品が集まり、それらに対するホフスタッターとデネットの突っ込んだコメントが読めるところが、何といっても楽しい。脳科学や認知科学の基本的な問題が見本市のように並んでいるのだ。

このホフスタッターに、筆者は1985年にインタビューを行っている。（「脳の量子力学」と題して、拙著『新人類の誕生』に収録）。厳格で還元的な科学の手法を信頼しているホフスタッターは、アーサー・ケストラーやライアル・ワトソンなどの、一見物理学を踏襲しているかに見える「ニュー・サイエンス」の人々を厳しく批判する傍ら、リチャード・ドーキンスの言う「利己的遺伝子」という考え方が、自分を最もよく代弁していると語っており、『マインズ・アイ』の中には、リチャード・ドーキンスの『利己的な遺伝子』からの抜粋も入っている。

よしなり・まゆみ
サイエンスライター。マサチューセッツ工科大学卒業（脳＆認知科学学部）。ハーバード大学大学院修士課程修了（心理学部脳科学専攻）。元ＮＨＫディレクターで、子供番組、教育番組、ＮＨＫ特集などを担当。コンピュータ・グラフィックスの研究開発にも携わる。著書に『知の逆転』、『人類の未来』（ともにＮＨＫ出版新書）、『進化とは何か』（早川書房、編訳）、『嘘と孤独とテクノロジー』（集英社インターナショナル新書）など。

18

未来の医療はどうなるだろうか?

選者……鈴木晃仁(東京大学人文社会系大学院教授)

1冊目

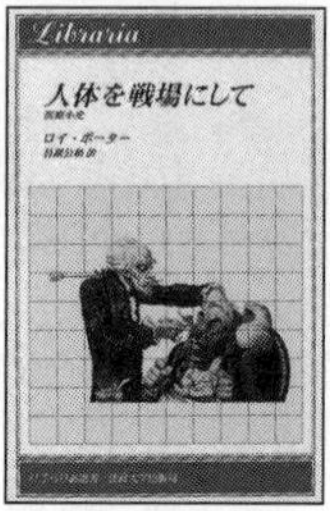

人体を戦場にして
ロイ・ポーター著　目羅公和訳
法政大学出版局、2003年刊

「未来の医療はどうなるだろうか?」という問いに対する答えの基本的な方向性は、20世紀の末から現在までの一世代で確実に変わってきた。かつては楽観的な答えが大勢を占めていた。科学と技術が進歩して、この時点で治せない病気も治せるようになるだろうという予測である。そう考える理由は、医療の歴史に求められてきた。じっさい、医療の歴史はそのように進んできたというのだ。

しかし、いま、同じ問いを発したときに、どんな答えが出てくるだろうか?「医療倫理が重んじられるようになる」「障碍者の自立が進む」といったプラスの方向、「健康格差が拡大する」「医療費が足りなくなる」「精神疾患がさらに増えていく」などのマイナスの方向、いずれにしても、もっと多様な答えが出てくるだろう。その理由は、過去一世代のあいだに、医療はもっと複雑な現象だということがわかってきたからである。そして、そのような視点から医療の歴史を眺めなおしてみると、それを科学技術の進歩の歴史と考えるより、多様な要素が絡み合いながら変化してきた領域の歴史であると考えたほうが適切である。現在をかなめとして、過去と未来の医療がどんな姿を見せるかという構図のおおもとが変わっている転換の時代、医療の歴史観と未来観の双方が連動して変化している時代に私たちは生きている。

そのような転換の時期に書かれた新しい医学史は、かつて語られていたような、偉大な医者たちによる医学理論と治療の技法の発展を語るだけではなく、より複雑な姿を描こうとしている。一冊を選ぶのは難しいが、新しい医学史研究の牽引役であったロイ・ポーター（1946-2002）の『人体を戦場にして』が、鮮明なメッセージを持っている短い通史である。

治せない病気を治せるようになるだろうという未来予測は、少なくとも欧米においては、近代まで主流ではなかった。古代以来のユダヤ教とキリスト教は、病気を含めた何かによって人間が苦しむことを前提として、その世界を受け入れた上での救いを説く宗教であった。神は、エデンの園を追放されたイヴに、子供を産むために痛みを感じることを避けられない運命として与えている。１８４０年代に麻酔が導入されて女性の陣痛をなくすのに用いられたとき、その痛みは受け入れねばならない神の摂理であるという議論がでたほどであった。この宗教的な考えに対して、18世紀フランスの数学者・思想家のコンドルセ（１７４３－９４）は異なった考えを提示した。『人間精神進歩史』（１７９５）で、政治体制の進歩、男女の平等、階級や人種の著しい差別の撤廃とともに、医学研究の進歩によって、感染症、遺伝病、風土・食物・労働条件などによる病気がなくなるだろうと宣言したのである。これは、キリスト教が前提としていた世界とは異なった世界を志向する、歴史のなかでの大きな転換を象徴している。

コンドルセの考えは、ただの夢想にとどまらず、その後の2世紀間において、重要な部分において実現された。平均寿命は、コンドルセの頃と比べると2倍以上にもなった。疾病の原因は次々に明らかになった。20世紀に入ってから、適切な治療法や予防法が矢継ぎ早に開発され、その発展は現在でも継続している。このような進歩の概念と現実が、歴史において医学の進歩を強調し、未来における疾病の克服を信じる楽観的な態度の背景にあった。

この立場がゆらぎ、未来の医療を予想する答えがより複雑になった第一の要因は、20世紀末の新しい疾病であるHIV/AIDSの登場と流行である。HIV/AIDSは、まさに歴史の皮肉としか言えない仕方で現れた。20世紀の後半の先進国では、感染症は次々と克服されていた。その頂点として、１９８０年には天然痘の撲滅が国連・ＷＨＯによって宣言された。しかし、まさしくその年にアメリカのゲイの奇病として認知され、後にHIV/AIDSとして認められた感染症が世界に登場した。もともとは20世紀の初期のアフリカで発生し、チンパンジーの免疫不全症のウィルスがヒトに感染してＨＩＶになったと推定されているこの病気は、登場からわずか30年あまりで4千万人が死亡する大流行となり、その流行は現在でも続いている。

　この事実が突きつけたのは、医療は、現在存在している疾病を克服するという閉じた世界のゲームではなく、開かれた世界の中で姿を変えていく疾病の集合を相手にしていることであった。そう考えると、歴史の中の疾病も、違う姿を見せてくる。ポーター『人体を戦場にして』は、疾病は克服されてなくなるだろうという考えは「近視眼的な医学的楽観主義」であり、「進化論の見方からすれば、人間が世界的規模で闘っている病気との戦いは、終わりがない戦いにおける現状維持策と見えてくる」とまとめている。すなわち、現代のHIV/AIDSのように新たな疾病が現れたり、14世紀のペストや19世紀のコレラのようにそれまで風土病だった疾病が急速に世界に広まったり、20世紀初頭の「スペイン風邪」と呼ばれるインフルエンザのように病原体の突然変異で強い病毒性を持つようになる姿が、人間と疾病の避けられない関係であるというのだ。１９８０年以降のHIV/AIDSの流行は、歴史の見方を変えて、現在のＳＡＲＳやエボラ出血熱や新型インフルエンザに対する不安を大きくし、未来を不透明なものにしたのである。

　医療の未来が複雑になった第二の重要な要因は患者である。こちらは、HIV/AIDSのような衝撃的な事件ではなく、現代社会の構造的な変化に由来する。近代に成立し20世紀の中葉まで支配的だった専門職としての医療者の考えによれば、医療とは医者が主体になって行うもので、患者は受動的な役割に限定されていた。しかし、20世紀の後半には、医療を専門職に任せるのではなく、患者に主体性を与える枠組みへの移行が始まり、患者が自分の病気をどう考えるのか、それをどう表現するのか、そして医療者に何を要求するのかという主題は、大きなうねりとなって現代社会に定着した。現代の患者は、少なくとも制度上は、個人としてインフォームド・コンセントの主体である。集団としても、ミクロな場やマクロな場で患者会や患者同盟を作り、さまざまなレベルの政治に深くかかわる存在となった。特に興味深いのは、患者たちが自分にとって病気とは何かを積極的に物語るようになったことである。その用語の是非はともかくとして、日本ではこのような記録は「闘病記」と呼ばれ、図書館や病院には闘病記のコレクションが設けられ、体験者のウェブサイトも高度に発展したものが作られている。このように形成されている一つのジャンルにおいて、語り手としての患者が作られている。臨床の現場や、政治の文脈や、語りの場面における積極的な主体としての患者の登場は、医療の未来を考える上での重要な新しい要素となった。

ポーターの書物の冒頭におかれた「医術には、病気と患者と医者の三要素がある」というヒポクラテスの言葉は、医学史の新しい考え方と、「未来の医療はどうなるのか」という問いに対する新しい態度の双方を象徴している。医療の歴史がそうであったように、未来の医療の形成には、医者だけでなく、疾病と患者も大きな役割を果たすだろう。
その新しい枠組みの中で医療を考えることが、これからの私たちの課題になるだろう。

２冊目

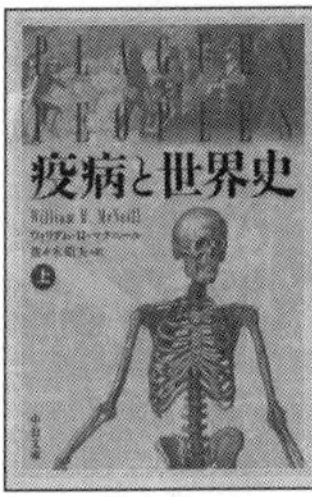

疫病と世界史（上・下）

ウィリアム・H・マクニール著　佐々木昭夫訳
中公文庫、２００７年刊

原著は１９７６年に刊行、１９８５年に翻訳され、２００７年に文庫化。経済史家であるマクニールは、20世紀の医学や自然科学で研究が始まっていたヒトと感染症の生態学の視点を取り入れて、人類の発生から19世紀までの感染症の壮大な世界史を描いた。マクニールの議論は多岐にわたる。たとえば、天然痘をはじめとする急性感染症は、人類が狩猟採集経済の段階では存在せず、農耕牧畜と都市をもつ文明に移行して生まれた、まさしく「文明の病」であり、地球上の文明のあり方に大きな影響を与えてきたことや、感染症の病原体によってヒトが寄生されることを「ミクロ寄生」と考え、一方で国家などによって租税や労働力を奪われ、軍事への貢献を課されることを「マクロ寄生」と捉えて、感染症と国家の双方に寄生される存在としてヒト／人間の歴史を考察するという新しい視点を生み出した。また、14世紀にモンゴル帝国というユーラシアの東西をつなぐ経路を作り出した国家によって、ヨーロッパにペスト（黒死病）がもたらされてヨーロッパの文明の構造を変えたこと、16世紀以降にアメリカに天然痘などがもたらされて高度に発展した文明が崩壊したことなどが論じられている。

3冊目

Susan Sontag
Illness as Metaphor
& AIDS and its Metaphors
スーザン・ソンタグ
隠喩としての病い
エイズとその隠喩
みすず書房

隠喩としての病い　エイズとその隠喩

スーザン・ソンタグ著　富山太佳夫訳
みすず書房、2012年刊

原著は1978年に刊行、1982年に翻訳され、1992年に「エイズとその隠喩」を合本して刊行された。著者は評論家で、この書物は、著者が1975年に乳がんの治療を受けた後の療養中に書かれたものである。がんは本書の重要な主題であるが、個人の体験談を書きつづるいわゆる闘病記の形をとらずに、知的で分析的な評論に昇華させて文学と医学に関する古典となった。がんと結核という二つの病気について、主に19世紀から執筆当時までの文学と医学にまたがった広い領域から素材を選んで、その病気の「メタファー」（隠喩）について論じている。二つの病気はどのように異なったメタファーをもたらしたのか、どのような空想的なイメージが作られたのか。結核はロマン化され、それに罹った身体は透明化され、患者は気化されたものになると想像されたのか。一方、なぜがんは患者の身体を侵略し、身体の中で固体化し、患者の精神は抑圧されたものとされるのか。なぜがんは政治的な言葉や軍事的な比喩として使われるのか。これらの主題についてのソンタグの分析は、がん患者となった経験が基盤として確かに存在するが、その記述にとどまらず、近現代の西欧の文化の分析にまで高められている。

すずき・あきひと
1963年生まれ。東京大学人文社会系大学院教授。ロンドン大学ウェルカム医学史研究所PhD.。イギリスと日本の精神医療と感染症の歴史を研究。著書にMadness at Home（2006）、共著書に『精神医学の歴史と人類学』（東京大学出版会）、Reforming Public Health in Occupied Japan（2012）など。

19 卵はどうして「私」になるのか？

選者……榎木英介（病理医）

1冊目

新しい発生生物学
：生命の神秘が集約された「発生」の驚異
木下圭、浅島誠著
講談社ブルーバックス、2003年刊

たった一個の受精卵がどうして「私」になるのか……ヒトで10ヶ月、昆虫に至ってはわずか数日で、複雑な構造や機能を持った体を持つようになる。手足、目、内臓、そして神経や脳。どれをとっても、用途にぴったり合った、あまりに巧妙な構造と機能を持っている（ときにあまり要らないものもあるけど）。どうしてこのような巧妙な器官ができるのか。驚くべきことに、器官は決して勝手に働いているわけではない。オーケストラのように、絶妙に協調しながら個体を作っている。こうした器官は誰の指示もなく、ひとりでに作られる。私達自身もそうだ。母親由来の卵子と父親由来の精子が出会ったその日から、すべてはスタートした。この文章を読んでいるあなたの目も、文章を理解する脳も、本をめくる手も、発生によってひとりでに作られたものだ。神の存在さえ感じさせる生命の発生は、太古より人びとの心を惹きつけてやまない。

こうした生物の発生を研究する発生生物学は、19世紀後半から20世紀になりめざましく発展した。様々な生物の卵や胚を縛ったり、切ったりする、今からみれば「ローテク」のみを使い、発生という現象に法則性があることを示した先駆者がいた。こうした法則性は、20世紀後半に至り、タンパク質や遺伝子で説明ができるようになってきた。発生を司る遺伝子の存在が次第に明らかになり、個体が作られるメカニズムが明らかになっていった。21世紀に入ると、遺伝子を操作することにより、人為的に様々な器官や組織を作ることさえできるようになってきた。今や発生生物学の一部は再生医療となり、病める患者さんを救おうとしている。

そんなダイナミックでエキサイティングな発生生物学を、その発展の渦中に身を投じた科学者たちが、余すところなく描いたのが『新しい発生生物学』だ。著者の浅島誠氏は、長年謎とされていた中胚葉誘導物質を世界に先駆けて見つけた科学者として、発生生物学の歴史に名を残している。浅島博士は評者（榎木）の大学院時代の指導教官でもあり、木下圭氏は浅島氏の弟子（評者の兄弟子）にあたる研究者。この二人が、発生生物学の過去、現在、そして未来をナビゲートする。本書はまず、発生生物学の基本である、動物の体の形作りについての基本的事項を丁寧に解説する。ＤＮＡの構造や遺伝子の発現メカニズムから解きほぐし、細胞の分化の仕組み、発生の初期に卵に何が起こっているのかを、図を交えて明らかにする。章末に書かれた素朴な質問とそれに対する答えは、読者の理解を深めるのに役立つ。

本書が他所（よそ）にない特徴は、浅島博士自身が渦中に身を投じた胚の誘導の研究に関する記載が豊富なことだろう。動物が形を作る過程では、細胞同士が物質をやりとりすることで、細胞の運命が決定されていく。これを誘導と呼ぶ。１９２４年にドイツの生物学者、シュペーマンとその弟子のマンゴルドは、胚の細胞を移植する実験を行うことにより、頭の領域を作り出す神経誘導を明らかにした。この実験は理科の教科書にも出ている古典的な研究だ。この神経誘導とともに、発生の初期段階において重要な誘導が中胚葉誘導だ。この二つの誘導現象がどのような物質によって引き起こされているのかが、20世紀の後半の大きな研究課題であった。浅島博士らのグループは１９７０年代から、中胚葉誘導物質を発見することをテーマに研究を開始した。

しかし誘導物質の研究は、１９７０年代には一時的に下火になってしまう。フナのウキブクロなどから抽出された物質が中胚葉誘導を引き起こすことが明らかになったが、物質を精製する技術が乏しいことなどから、研究が廃れてしまったのだ。しかし、浅島博士らのグループは研究を諦めなかった。１９８０年代になると、遺伝子工学の発展から、精製された細胞増殖因子を用いることができるようになった。このため一旦廃れかけた研究が活発になり、世界中で熾烈な競争が行われるようになった。そして、世界に先駆けてアクチビンに中胚葉誘導を引き起こす活性があることを明らかにしたのだ。残念ながら、アクチビンは現在、実際に胚のなかで中胚葉誘導を行っているとは考えられていないが、中胚葉誘導を引き起こす物質であることには変わりない。

本書は抑制した控えめな語り口のなかに、研究の渦中に身を投じた当事者ならではの興奮を感じることができる。誰も知らなかったことを明らかにすることこそ、研究の醍醐味であり、困難にもめげずに、研究者が研究を行おうとする理由なのだ。

このほか、神経誘導がどうして起こるのか、体の背腹、前後、左右の体軸がどうやって決定されているのか、器官が作られるメカニズムなどに詳しく触れられているが、ここでも浅島博士のグループが行った研究がふんだんに紹介されている。前述のように、アクチビンは真の中胚葉誘導物質ではなかったが、アフリカツメガエルの胚を用いて様々な器官を作り出すことができる。こうしたいわば「人工臓器」から、器官の形成に不可欠な様々な遺伝子を見つけることができる。遺伝子はマウスやヒトなどの哺乳類にも共通であり、将来的には再生医療などに役立つ可能性もある。実際本書刊行から10年たち、これらの研究が発展し、成果が実を結びつつある。発生生物学が基礎研究にとどまらない広がりを持っていることを感じる。また、受精卵を操作することによる倫理的問題にも触れており、研究の紹介にとどまらない深みを与えている。

本書は研究の歴史を紹介するとともに、浅島博士らが行った実際の研究データも紹介されており、発生生物学の基本的な知識を得るだけでなく、研究の面白さを感じることができる。今入手できる一般向け科学書のなかでは、発生生物学の魅力が最も分かる一冊といえるだろう。

　ただ、本書に欠点がないわけではない。いかんせん2003年刊行と情報が古い。研究は日進月歩であり、たとえばiPS細胞の樹立など、ノーベル生理学・医学賞の対象になった山中伸弥博士の研究は、本書刊行後に発表された。当然iPSに対する記載はない。進化発生学やコンピュータを用いた研究も含め、最新の状況を記した改訂版の発行が待たれるが、それまでは最新情報を補うために、後述の2冊をはじめ、新しい本にあたる必要がある。

　しかし、本書にはこうした欠点を補ってあまりある魅力がある。現在の発生生物学は、再生医療の基礎という側面が強くなっている。病に苦しむ患者さんがいる以上、再生医療に期待が高まるのも当然だ。しかし、再生医療は国策研究となり、競争が激化し、多額の予算が投入されるようになった。過度な業績競争の果てに、STAP細胞事件（2014年）や、ファン・ウソク博士による「ES細胞論文不正事件」（2006年）が起きたのは記憶に新しい。本書にも登場する、神経誘導に関与する遺伝子コーディンを発見したのが、STAP細胞の論文捏造（ねつぞう）に関わり、自ら命を絶った故笹井芳樹博士であったという事実は、発生生物学の変貌を象徴しているように思える。発生生物学の原点は、発生という生命現象への興味にあったはずだ。再生医療が研究の中心になりつつある今こそ、発生生物学の原点をあらためて認識する必要がある。その意味でも、本書を強くおすすめしたい。

2冊目

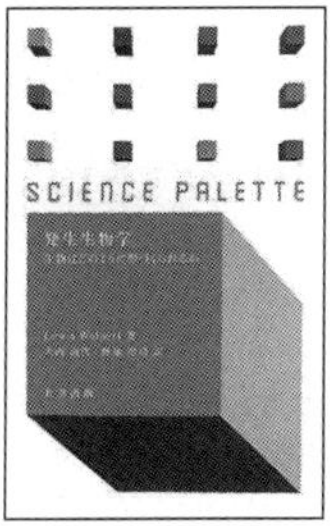

発生生物学
：生物はどのように形づくられるか

ルイス・ウォルパート著　野地澄晴、大内淑代訳
丸善出版、サイエンス・パレット新書、2013年刊

ルイス・ウォルパート博士はイギリスの著明な発生生物学者。発生生物学の世界的な教科書の著者でもあり、この分野を最もよく知る第一人者だ。そのウォルパート博士が一般向けに発生生物学を解説したのが本書だ。

体裁はやや教科書調だが、その分広い分野に目配せしており取りこぼしがない。無脊椎動物や植物の発生にも触れ、細胞レベルの話から器官形成、がん、老化、再生、そして近年発展が著しい進化発生学についても解説している。

類書には『卵が私になるまで：発生の物語』（柳澤桂子著、新潮選書）や『からだの設計図：プラナリアからヒトまで』（岡田節人著、新潮新書）があり、どれも著者の個性が出ていて良著であるが、いずれも1990年代刊行で内容が古い。その点本著は原書が2011年刊であり、iPS細胞にも触れるなど、日進月歩の発生生物学を古典的な研究から最先端まで解説している。訳者の大内淑代氏、野地澄晴氏が適切な訳注を記しており、原著刊行以降の最新の研究の情報も得ることができ、本書に深みを与えている。巻末には用語集もあり、発生生物学を概観するには最適の本といえるだろう。ただ、記載は網羅的であるが表面的な印象もあるので、本書で発生生物学に興味を持ったら、是非同じ著者による『ウォルパート発生生物学』（メディカルサイエンスインターナショナル）に挑戦してほしい。

3冊目

山中伸弥先生に、人生とiPS細胞について聞いてみた

山中伸弥、緑慎也著
講談社、2012年刊

2012年のノーベル生理学・医学賞は、アフリカツメガエルの受精卵に皮膚の細胞を移植することで、発生を司る情報が核の中にあることを示したジョン・ガードン博士と、たった4つの遺伝子の働きにより、分化した細胞から受精卵に類似したiPS細胞を作ることに成功した山中伸弥博士に与えられた。iPS細胞はまさに21世紀の発生生

物学の最先端でもある。本書はその発見者、山中博士の研究者としての経歴を振り返りながら、iPS細胞の発見に至る過程を臨場感溢れる語り口で明らかにしている。細胞の分化を本の「しおり」で説明するなど、非常に分かりやすい。

山中博士は、最初は薬理学の研究をしており、発生生物学を研究した経験はなかった。ES細胞（胚性幹細胞）を扱いはじめたのも、あくまで目的の遺伝子を調べる手段とするためだ。山中博士は、臨床医として患者さんに接した経験から、研究を医療に役立てたいという意識を強烈に持っている。そして、そのために何が必要なのかを考え、iPS細胞の樹立に至った。課題解決が研究目標の第一にあるのだ。一方、浅島博士は、生命現象に対する興味から研究を行ってきた。いわば好奇心駆動型の研究だ。この両者はどちらがよい、というわけではない。医学や工学の課題解決研究と、理学などの好奇心駆動型の研究、両方あってはじめて研究は豊かなものになるのだ。本書からは、そうした研究者の発想の違いも感じられる。

えのき・えいすけ
フリーランスの病理医兼科学ジャーナリスト。1971年横浜市生まれ。1995年東京大学理学部生物学科卒。発生生物学の研究者になることを目指し大学院に進学したが、方向転換し神戸大学医学部に学士編入学。医師免許取得後複数の病院に勤務ののち独立。科学、医療と社会のあり方を見つめる活動を行っている。『博士漂流時代』（ディスカヴァー・トゥエンティワン）にて科学ジャーナリスト賞2011受賞。近年関心は生命の誕生から死へと変わりつつある。近著は『病理医が明かす：死因のホント』（日経プレミアシリーズ）。

20 ビッグデータは社会をどう変えるのか？

選者……矢野和男（情報学者・日立製作所 フェロー・ハピネスプラネット 代表取締役CEO）

1冊目

易経

高田真治、後藤基巳訳
岩波書店、1969年刊

原子の世界から宇宙の果てに至るまで、これまで人間は、物質を究めて行くことによってその姿を明らかにしてきた。そこでは常に、人間だけは他の生物や物質とは別に扱われてきた。脳科学や分子生物学などは人間を対象にはしているが、人の人生や社会からみればごく一部を対象にしている。一方、社会科学や人文科学は、ハードなサイエンスとは異なり定性的な学問に留まっている。しかし実際は、この複雑な人間と社会を、なんとかして科学的に——定量的に捉えようと格闘して来た歴史が脈々と続いている。

人間や社会がどんなに複雑なシステムであろうとも、ハードサイエンスの手法をそのまま用いることができる、それが私の見解である。

携帯電話をはじめ、コンピュータがどんどん小型化していく中で、2003年頃から、私は仲間とデータビジネスの研究を始めた。24時間装着可能なウェアラブルデバイスで、常時人間のデータを吸い上げるコンピュータが生まれるのが必然的な流れと考えた。これからデータを中心としたビジネスがあるのでは、と着想したが、2006年頃から大量にデータがとれるようになり、それをどうやって価値に変えられるかを考えるようになった。

ビッグデータというのは数値の山だ。大量に集まったデータを前に、どういう意味を付加していくべきかを考えていた7、8年前。単に統計分析をしても、労力の割に今ひとつ得るものが少ないと感じていた。分析するだけでなく、日々それをもとにアドバイスを出すことで価値が高まるのではという問題意識を抱えるなかで、たまたま易の本に出会った。

『易』は今から5000年も前に古代中国で生まれた哲学書であり、占いの書である。その根本には、陰と陽（それぞれ「拡大発展」と「安定収束」の変化を意味する）という2つの変化の組み合わせによって森羅万象が形成されているという宇宙の数理モデルがあり、その変化を64個のパターンに分類している。ここで6つの変数における陰と陽の判定を組み合わせることで、2の6乗で64個になる。英語名では"the book of changes"(変化の書)。森羅万象には、当然人間も含まれる。人生は変化していくもので、それをどのように受け入れ、ふるまうべきか。古代の為政者が国の情勢判断という複雑な問題にいかに的確に答えを出すかに長年活用されてきた。

世の中の万物を数理的に表現しようという体系のすごさ、風呂敷の大きさ。人間を含むすべての世の中の事物をこの6ビットのシステムで表そうとする大胆さ。この古代の発想は、専門分化して全体観を失いがちな現代の学問に対し、強烈なアンチテーゼを示している。しかも、ビッグデータの活用には、むしろこのような方法論が必要になる。

この易のシステムは、宣教師が欧州に持ち帰り、17世紀の数学者のライプニッツは、易の分類図にヒントを得て二進法を作った。実は今の情報科学の源流にもなっている。江戸時代までは、あらゆる書の最上位に位置づけられていたが今は忘れられた書である。しかし、複雑な人間社会を定量的かつ科学的に捉えようとする時、易は、今もって最もラディカルな書と言えるだろう。

『易』ではあらゆるアドバイスを64個に体系化して分類している。今見ても、最も体系的な分類学といえる。さらに、今日が64個のどこにあたるかを知るのに、6ビットのコードを知る必要があるが、これにウェアラブルデバイスからのデータが使えないかと考えるようになった。これまでの占いでは、例えば、ぜいちくを数えて判断をしてきたが、これは科学的ではない。これに代わって、日々の行動を表す変数、例えば、睡眠が増えているのか、会話が増えているのかなどから、より拡大・発展的になる変化と、落ち着いて安定していく変化を捉え、この両者から創られる波からどのパターンの時にはどういう方針、どういう態度をとると、最も成功確率が高くなるかの知識を蓄積するシステムになるのではと考えたのだ。

さまざまなウェアラブルのデータをもとに、それを対応付けしたシステム「ライフシグナルズ」をつくり、6年ほど前から、実験的に私はそのアドバイスに沿って行動しているのだが、これがなかなか良くて、実際に何人かの方にも使っていただいており、好評をいただいている。

現在、情報技術は転換点にある。これまで情報技術は、作業の自動化や、省力化などで役立ってきた。その源流は、1911年にアメリカの経営学者でエンジニアのフレデリック・テイラーが発表した「科学的管理法」にある。生産現場における一見複雑な作業も、要素を分解すれば単純な工程の組み合わせだ。技術を標準化し、コンピュータの支援により、人にルールを守らせることでパフォーマンスは上げることができた。

結果として生産性は50倍ほど上がり、GDPも上昇した。一方で、個別の状況対応の難しさや変化への脆弱(ぜいじゃく)さなど、その限界も見えて来ている。20世紀が作業の自動化・効率化であったのに対し、21世紀は知識労働の革新に移っていく。看護師、デパートの店員、自動車の修理士など、サービス業やナレッジワークにおいては作業過程を分解し、コンピュータで置き換えることはできない。「私」と「誰か」は違うし、今日の私と明日の私も違う。同じ仕事でも部署ごとに適当なコミュニケーション量も異なるはずで、柔軟性がなければさらなる生産性は期待できないだろう。今後は、人間がシステムに合わせるのではなく、システム側が人間に合わせていかなくてはいけない。そこにビッグデータが活躍する。論理を基盤とするコンピュータと、五感などの知覚を基盤にする人間の融合がなされ、人間自身の成長や向上を伴うものになっていくことを期待したい。

科学的な知見が世の中を動かすサイクルは長い。たとえば大学の教授が、大学院生を1人雇う。3年かけて一つの仕事をし、それが学会誌に掲載され、認められればその研究が次第に浸透し……うまくいけば10年後にようやく学会で常識となる。その中のごく一部分がさらに長い時間をかけて社会に活用されるようになる。これが現実だ。

しかし今後、ビッグデータを活用することで、この学問から社会に至るサイクル時間を劇的に短くできないだろうか。大量に集められた世の中のデータをもとに、科学的な知見や、データに裏打ちされた知識が日々生まれ、同時に活用することができる。人工知能が「私はどうしたら幸せになれるか？」に常に配慮し、支援する時代がくるかもしれない。しかしそんな時代を迎えても、『易』に書かれた古代人のラディカルな世界モデルは光り輝き続けると思っている。

2冊目

小林秀雄講演 第2巻
：信ずることと考えること

新潮社、2004年刊

本書は小林秀雄が学生に行った講義をベースに加筆してまとめられた。超能力者ユリ・ゲラーの念力の話から始まり、ベルクソン哲学、柳田國男らを取り上げる。登場するエピソードの一つに、こんなものがある。

ある夫人の夢の中に、出征中の夫の死ぬ姿がまざまざと出て来た。看取ってくれた人や周りの兵士もはっきり見え、どうやら正夢のようだ。彼女の話を聞いた科学者はこう答える。「あなたは確かに夢を見たのでしょう。しかし大切な人が亡くなった夢を見たからといって、それ以上に、元気で生きていた事例はいくらでもあります。それゆえ私は科学者として、あなたの主張を受け入れる訳にはいかないのです」と。

しかし小林はそうじゃないと言う。彼女は固有の話をしているのに、なぜそれを抽象化し、一般化してしまうのだ。ここに科学の落とし穴がある。

小林は元の講演の中で「信ずる」と「知る」とは異なることを強調する。信ずるのは、わたし流に信ずることゆえに、その結果には自分が責任を負う。従って、信ずる力が弱まり、知る風潮が強まると、人は責任をとらなくなる、という。
未知の事象にいかに向き合い踏み出すのか、本書を片手に考えてみたい。

3冊目

フロー体験　喜びの現象学

M・チクセントミハイ著　今村浩明訳
世界思想社、1996年刊

個人の中に主観的に存在する「幸福感」は、数量化できるのだろうか。
ハンガリーの心理学者、チクセントミハイは「人間がもっとも充実しているのはどんな状態か?」を、経験抽出法（ESM：Experience Sampling Method）という調査方法で測ることを考えた。今から40年も前のことだ。被験者たちは1時間に1回程度、ランダムに鳴るポケベルのような道具を携帯し、鳴った瞬間に「自分の能力を十分に発揮していたか?」「挑戦的なことをしていたか?」に答えて行く。そこで導き出されたのは、人間は、自分の能力と釣り合った目標に対して能動的に取り組むことが、最大のパフォーマンスを発揮する上で重要であり、結果として幸福感を得られるということ。「よどみなく自然に流れる水」にたとえて「フロー体験」と呼ばれている。

我々は往々にして、仕事の目標は低めに設定しがちだ。しかし喜びを得るには、それは誤りだと結論づける。主観的なものをどう客観的に捉えるか。著者の大胆な発想力と、大量のデータから導き出された結論は、概念から分類した答えとは全く違う迫力を持っている。

従来計測できなかった主観的なものを客観的に測ろうとする大胆さから、極めて新しい知見が生まれた。科学的アプローチがデータと合わさって得られた答えが、実は禅で言われるような悟りの世界と共通しているのも面白い。

やの・かずお

1984年日立製作所に入社。2004年から世界に先駆けビッグデータの研究に取り組む。身体運動や面会を記録した大量データから、時間の使い方・組織・経済現象などの人間行動や社会現象を解き明かし、人間と社会に関する認識をくつがえす科学的新事実を示している。論文被引用件数は4500件を超え、特許出願も350件以上。2020年に株式会社ハピネスプラネットを創業、現在に至る。工学博士。IEEE Fellow。著書に『予測不能の時代：データが明かす新たな生き方、企業、そして幸せ』（草思社）、『データの見えざる手：ウエアラブルセンサが明かす人間・組織・社会の法則』（草思社文庫）がある。

21 五感で科学をとらえるには？

選者……山田暢司（都留文科大学特任教授）

1冊目

これはびっくり！　化学マジック・タネ明かし
：スーパーマーケット・ケミストリー
山崎昶著
講談社ブルーバックス、1988年刊

山崎昶（あきら）著の『これはびっくり！　化学マジック・タネ明かし』は、「講談社ブルーバックスシリーズ」の一冊で、実験解説書というより楽しい化学現象の紹介に重きが置かれた読み物となっています。化学実験というと、暗い隔離室の中で白衣を身にまとった専門家が何やら怪しい液体を扱うものといった印象を持たれる方々が多いかもしれません。しかし、それは運悪く（？）そういった学校教育を受けてしまったというだけで、化学実験は工夫によって楽しく学ぶ要素をたくさん含んでいるのです。私自身のことですが、高等学校で化学の教員として日々奮闘してきた者にとって、この本（初版1988年）は指南書とも言うべき参考書のひとつとなっています。

私は高校生を相手に、これまで30年間で5000時間を超える生徒実験を実施してきました。その経験から言えるのは、実験を数多くこなすことが、学力はもちろん文系や理系という区切りとも無関係に、創造性や社会性の発現に有効に作用しているということです。確かに、実験ばかりやっていると進学のための学習が疎（おろそ）かになるとか、単なる遊びになりがちではないかという批判を浴びやすい面はあります。しかし、もともと実験好きな生徒は積極性や社会性に富む傾向が強く、化学実験を通じてそれらの特性をさらに伸ばし、学力や進路意識の向上につながることが多いのです。生徒たちは、物質に触れながら現象を観察し、時に工夫を凝らすことで創造力を養っていきます。そういった体験によって、自分たちの生活を形作っている「世界を見晴らす」機会を得るのだと思います。私自身も、子供の頃に鉱物の放つ燦（きら）めきや、物が燃えたり物質が変化する様子にワクワクしながら見入っていた記憶があります。そういった体験が長らく化学の教員を務める契機となっていたのかもしれません。

さて、この本ではタイトルにあるように化学現象を不思議なマジックとしてとらえ、五感に訴える魅力的な実験が27テーマも紹介されています。内容は「前口上」により実験への導入から始まり、準備する物も身近な素材で操作も容易に理解できるよう親切に説明されています。また、専門の実験書で見られるような羅列的な操作番号をあえて用いず、解説文も理系らしからぬ柔らかな物腰で、化学物質の構造式が出たかと思えば古典や歴史のエピソード、政治や経済、ファッションにまで話が及びます。ブルーバックスシリーズでおなじみの永美ハルオ氏のイラストも親しみ深く、まるで化学の世界への旅のエッセイか短編集かのような軽快な読み物となっているのです。もちろん、専門的な知識技能をそれほど有していない人でも、家庭での趣味的な活動として推奨できる内容となっていることも特徴です。

私自身は、すでに本書に収録された実験のネタのほぼすべてを授業として実践済みです。そこで、取りあげられている実験を二点ほど、実際に生徒の様子などを交えて紹介したいと思います。

まず、ニワトリの卵の殻を食酢で溶解させると卵膜だけのぷよぷよ卵になるという実験です。卵はキッチンにある定番の食材ですが、その殻はカルシウムの化合物で出来ているため酸に容易に溶けるのです。そこで食酢を酸として用い、一定時間卵を浸けておくと殻がすっかり溶け去って、殻の内側にある卵殻膜という極薄い膜だけの裸卵（スキンエッグ）ができるというものです。触ってみると軟らかく、机に向かって5㎝くらい上から落としても破れることもなくゴムボールのように弾みます。生徒たちは、最初はおそるおそる手のひらの上に載せて触っているだけなのですが、慣れてくるとすぐにキャッチボールを始めたくなります。運悪くキャッチをミスして床に落としてしまうとさすがに悲惨な結果が待っていますが、食べ物を粗末にした罰として受け入れはするようです。裸卵を明るい方に向かってかざすと、内部の黄身が透けて見え、これが実に美しい。卵黄を卵の原型のままで観察できる機会はなかなか得難く、まさしく生きた教材です。

さらに、あらかじめ卵に小穴を空けて中身を取り出しておいた極薄の卵殻膜を持ち出して生徒に問いかけます。「さあて、この何の変哲もない卵。これを受け止めてみよ！」と言って、生徒の誰かに向かって投げつけます。反射的に受け取った生徒は一瞬たじろぐものの「あれー、空っぽの皮の風船みたいだ」と反応します。この卵殻膜は空気を入れた状態で卵の形をそのまま保っているので、一見普通の卵に見えるのです。続いて「では、手のひらの上で握りつぶしてごらん？」と指示すると、「あれ、簡単につぶれて小さくなっちゃった！」。「その昔、卵を消してみせる手品のネタに使われたこともあるそうだよ」と解説に付け加えることができれば、化学の学習の幅がより広がります。また、家庭でも安全簡単に実施できるので、一家団らんのひとときに紹介できそうな楽しい実験ともなることでしょう。

もう一例、空き缶にアルコール蒸気を充満させ、ライターで着火して小さな爆発を起こさせるという実験も紹介されています。実際には、空き缶の上に紙コップを乗せておいて「さあて、この缶の下の方に小さな穴がありますね。ここにライターの火を近づける……」と、大きな音とともにコップが吹き飛んでいきます。迫力があるこの手の実験は生徒に大受けですが、今度はアルコールをテーブルの上にまき散らしておき、同じようにライターの火を近づけて見せます。生徒たちは「きゃー」と言って耳を押さえ、爆発に備えて身構えます。ところが、爆発は起こらず橙色の炎が静かにメラメラと燃えるのみです。生徒からは「先生、どうして今度は爆発しないの？」と疑問とも非難ともとれる反応が返ってきます。ここでは、学習内容として有機化合物の燃焼反応と酸素との混合比との関係から爆発事故が起こるメカニズムまでを解説することになります。このように体験を伴うことでゴマカシのきかない化学の本質に迫る学習が可能となるのです。タイトルには「ちょっとこわいかも」とありますが、実際にはそれほど危険性はなく、火を使うということもあって嬉々としながらもかえって真剣に取り組むものなのです。昨今は、火を扱う経験はもちろん、焼きいもすらスーパーの食材売り場でしか見たことがないという生徒が珍しくなくなっています。安全性ばかりを重視して小さな危険を体験させなかった結果、危機を管理する能力が育たず、大きな事故を招くということもあるのではないでしょうか。

少し前の調査になりますが、国立教育研究所によると「化学」は最も学ぶ価値を見いだせない不人気な教科という不名誉な称号を与えられたそうです。人気がないということは興味関心を持ってもらえないし、資源の限られた我が国の技術を支える基本が揺らぐと言っても過言ではありません。これは、学校教育に携わっている化学教員はこれまでのやり方を猛省しなければならないということを示しているのです。このような状況で、約30年前に出版された山崎昶さんの本は、化学の楽しさ奥深さを、今こそ新鮮な輝きを持って私たちに語りかけてくれるようです。しっかりした理論の上に、素材を身近なものに絞って化学現象の切り口を見せようとする試みにあらためて着目してはいかがでしょうか。

2冊目

化学物質ウラの裏
：森を枯らしたのは誰だ
ジョン・エムズリー著　渡辺正訳
丸善、1999年刊

80種を超える様々な化学物質について、取りあげる物質をテーマ別に「展示室（ギャラリー）」に分類し、それぞれを美術館や博物館にある「肖像画」に見立てた一風変わった構成となっています。しかし、物質がイメージしやすいように構造式が加筆（原著にはない）されている以外は、化学反応式も用いられておらず、必ずしも専門性がなくても興味が湧くような楽しい話題が詰まっています。展示室の各肖像画とされている物質がどのように紹介されているかをいくつか見てみますと、例えば「夢の中へ——メラトニン」「すぐそこにある危機——一酸化炭素」などのタイトルが目に入ってきます。前者は、マクベス第二幕第二場の引用があるのですぐにわかりますが、後者は人気作家トム・クランシーのベストセラーの小説のことなのではと推測できると楽しみがさらに増し、内容もタイトルに沿って実にうまく展開されていて読み応えがあります。「冤罪・アルツハイマー事件─硫酸アルミニウム」「モーツアルトの鎮魂歌─アンチモン」といった興味を引くタイトルなど随所に見られるユーモアとウイットに富んだ表現は、著者の優れたセンスを感じさせます。また、オゾンやダイオキシンといった関心度の高い物質についても、取り扱う量や時代背景によってずいぶんと見方が変わるということもわかりやすく解説されています。「なるほどそうだったのか！」と唸っては、すぐさま誰かに話したくなるに違いありません。

3冊目

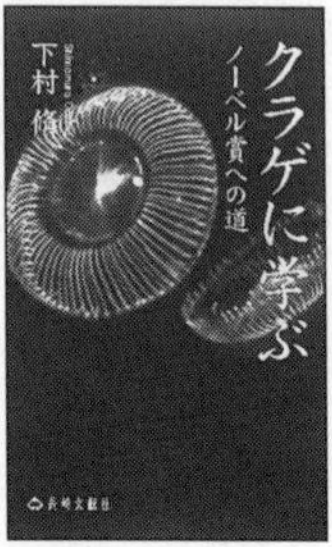

クラゲに学ぶ
：ノーベル賞への道
下村脩著
長崎文献社、2010年刊

２００８年、ノーベル化学賞受賞の報を聞いて、初めてオワンクラゲという発光生物の存在を知った方々がほとんどではないでしょうか。生物の体内での化学変化による発光は極めて魅力的な現象で、私自身も化学実験の授業でよく取り扱うのですが、生徒の反響の大きな実験の一つです。本書はその下村脩さんによる、科学者としての自伝的な作品です。もちろんノーベル賞受賞という偉業を達成された方ですから、成果に至るまでのたゆまぬ努力、幾たびかの挫折を乗り越えた忍耐力、時にインスピレーションを得た等々のエピソードには事欠きません。ただ、平々凡々の私どもは、それらのエピソードを天才科学者が示す謙虚な態度という単純な受け止め方で片付けてしまいがちです。確かに本のタイトルは『クラゲに学ぶ』で、本文にも「意外にも」「幸運にも」という控えめな表現が随所に見られます。しかし、現代の医学・生化学分野の研究に欠かせない発光物質GFPの軌跡をたどって行くと、たどり着いた先で出会う「下村脩」という天才研究者の努力に驚かされるのです。この微量しか得られない物質GFPを抽出・精製するため、毎年夏になると一家総出で連日オワンクラゲを採取し、研究期間に用いた総クラゲ数は85万匹というくだりには感服する他ありません。その他、下村さんの生い立ちや受賞後の研究環境、研究に携わる人間関係など豊富な画像（カラーが多い）とともに収められていて嬉しい一冊です。

やまだ・ようじ
都留文科大学特任教授。埼玉大学大学院修了。身近な素材を有効に活かす教材開発や実験指導等に関する研究に取り組む。高校での指導経験もあり、実験を積極的に活用したユニークな手法による指導の他、メディアでの監修、製作等にも関わる。小柴昌俊科学教育賞、日本理化学協会賞等の受賞歴がある。著書に『サクッと！化学実験』（dZERO）、『実験マニア』（亜紀書房）、『高校教師が教える化学実験室』（工学社）など。

22

SF小説を書くには？

選者……藤井太洋（作家）

1冊目

利己的な遺伝子〈増補新装版〉
リチャード・ドーキンス著　日高敏隆ほか訳
紀伊國屋書店、２００６年刊

１９７６年に初版が発行され、平成元年の１９８９年に増補改訂されたリチャード・ドーキンスの『利己的な遺伝子』はこう始まる。

〝この本はほぼサイエンス・フィクションのように読んでもらいたい。〟

サイエンス・フィクション＝ＳＦというジャンルの文学を定義するのは難しいが、多くのＳＦ作家が宇宙開発や時間旅行、人工知能が支配する社会やジェンダーの溶け合った遠い未来を通して人が不思議や神秘に触れたときに感じるときめき――〝センス・オブ・ワンダー〟を描こうと日夜努力していることは共通している。
そんな日々を送っている身にとって、この序文は挑発的だ。
科学者が？　科学書で？　ＳＦのように読める？
甘く見るんじゃないよ、と言いたくなるところだが、実のところ本書は優れたサイエンス・フィクションのように読めてしまう。

科学書なので当然ではあるが、ドーキンスは物語を前に進めるためにＳＦ作家がやるような嘘や隠蔽を混ぜない。喩えの中に混入してしまう正確でない言い回しの意図を修正するために、五月蠅いと思えるほどに紙面を割いてすらいる。日本人には馴染みの薄い宗教に対する言葉など、何度繰り返せば気が済むのかと感じてしまうほどだ。それでも本書は面白く読めてしまう。

ドーキンスの語り口は、ＳＦ作家が作品の中で架空の事物を作り上げていく方法とそっくりだ。先入観を覆すような言葉で読者の興味を惹いておいて、手触りの感じられる事例を丁寧に紹介しながら伝えるべき理論を積み上げる。最後に力強く、冒頭で示した言葉の意味を述べる。

特に第12章「気のいい奴が一番になる」で扱われるゲーム理論と進化的に安定な戦略——ＥＳＳのくだりは秀逸だ。囚人のジレンマという思考ゲームで、遺伝子が生命に行わせている戦略が徐々に明かされていく。ゲームのプレイヤーがとる戦略の「やられたらやり返す」というフレーズは、事例がサッカーのゲームや離婚訴訟に及んでも繰り返されるが、最後に「利己的な遺伝子」という本書のテーマを強く補強するチスイコウモリの〝献血〟事例に帰着して、一世紀以上も居座っている〝血まみれの自然〟という先入観を打ち砕く。まるでよく書けた短編小説のような美しい構成だ。私は何度も読み返しているが、実際のところ本書がなければ、いくつかの重要なＳＦ作品は生まれなかったか、全く違う読み心地となっていただろう。本書の主たる主張である生物＝生命機械論や『利己的な遺伝子』というフレーズだけをとってもマイケル・クライトンの『ジュラシックパーク』や瀬名秀明『パラサイト・イヴ』、岩明均『寄生獣』などにその影響は色濃く出ている。そして進化論というアイディアがＤＮＡに留まらないことを示してみせた〝ミーム〟に至っては、ＳＦ作品において文化を技術的に操作することへのもっともらしさを加えるための必須のアイディアの一つともなっている。「論」や「説」が生まれた場所とその熱気を知ることは難しいのだが〝ミーム〟に関しては『利己的な遺伝子』から始めればよい。その一点だけでも本書の価値は計り知れない。

もう一つ驚くべきことがある。40年近く前に書かれた科学書だというのに、その論旨と事例が全く古びていないことだ。これは驚愕に値する――正直に言えば、妬（ねた）ましい。

東西冷戦が終わったために、スパイ小説作家たちは頭を抱えたというが、ＰＣとＩＴ革命は同様にＳＦを書きにくい時代にしたと言われている。私たちが住む21世紀の社会は情報革命によってかつて描かれていたＳＦを越えつつあるからだ。

創業以来、ほとんど利益も出すことなく成長を続けて世界最大の通販企業となったAmazonは配送に無人機を使うと発表し、ＮＡＳＡの代わりに大富豪がロケットと宇宙船を飛ばす。世界各地の戦場を飛ぶ無人機を操作する兵士は勤務明けにＰＴＡに出席し、てのひらに乗る端末に自然言語で問い合わせれば２００万台のサーバー*を擁するGoogleが何らかの答えを返してくる。かつて多くの物語で登場人物の課題として有効だった、事業の、あるいは研究を続ける金がないという問題ですら、１００ドルを10万人から集めてしまうクラウドファンディングで解決するのが私たちの生きる21世紀だ。

専門的な知識をＰＣとインターネットに入れてちょいとカクテルを振ることで新しい製品が世の中に出てきてしまう今日、ＳＦ小説において説得力のある未来の技術や社会を描いて〝センス・オブ・ワンダー〟を感じさせるのは難しくなってきている。『利己的な遺伝子』が書かれた当時、わたしたちの誰もがてのひらに持っているカラーの液晶ディスプレイなどこの世に存在しなかったのだ。

同様に生命科学の世界、特に遺伝子に関わる知見の意味合いもこの10年ほどで大きく姿を変えようとしている。２００３年に完了したヒトゲノム計画が象徴的だが、遺伝情報の分岐を追う分子生物学によって慣れ親しんできた「種」の枠組みすらも揺れている。21世紀になって書かれた遺伝や進化に関する書籍の多くは「ヒトのＤＮＡが全て解析された」前提で記されているはずだ。

そんな中で、三分の一世紀も新しさと驚きを感じさせている本書には、科学を伝えるために必要なことがぎっしりと詰まっている。

本書でドーキンスが伝えようとしていることは、一言で言い表せる。〝進化の主役は遺伝子であり、遺伝子の生存機械として現れた生物はその表現系である。〟

血と肉を持つ――正確を期すために多くの行数を費やすドーキンス流に正すならば血液を持たない植物や古細菌も視野に含めなければならないところだが、ここは文学的な表現として繰り返させていただこう。「血と肉を持つ私たち」は進化の主役ではないし、到達点でもない。魂ですら新たな数学の解き明かしたゲーム理論で説明しうる遺伝子のダンスが地球に投影した〝延長された表現系〟にすぎない。そんなパンドラの筐（はこ）を開けてみせたドーキンスは、紛れもなく科学の営為として産み出されたはずの『利己的な遺伝子』の第11章で〝ミーム〟を登場させて、サイエンス・フィクションが求めて止まない最大級の〝センス・オブ・ワンダー〟を希望とともに見せてくれた。

今手に入る増補改訂版は、書籍として見たときの構成も素晴らしい。初版が出てからドーキンスが巻き込まれた論争や改訂の意図が、ユーモアたっぷりに100ページにも及ぶ補注で補われている。この補注自体が優れたブックガイドにもなっている。

SF小説はともかくとして、これから本書の読者のみなさんは科学の解説や事業計画書などで、科学的な事物やアイディアを人に伝えることもあるだろう。そのときに『利己的な遺伝子』を読み通した経験はきっと役に立つ。必読の書だ。

＊2013年に計画されていたデータセンターに収容されるサーバー数の合計：https://plus.google.

com/+JamesPearn/posts/VaQu9sNxJuY

2冊目

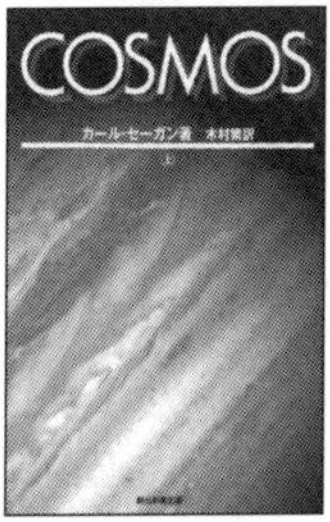

ＣＯＳＭＯＳ（上・下）

カール・セーガン著　木村繁訳
朝日選書、２０１３年刊

宇宙を思い、異星人との交流を夢見る科学者が国を動かして巨費を投じたプロジェクトの中心に立つ。そんなＳＦ小説の登場人物のような科学者がカール・セーガンだ。映画にもなったＳＦ小説の『コンタクト』や遺作となった『百億の星と千億の生命』なども素晴らしいが、ここではテレビシリーズにもなった『ＣＯＳＭＯＳ』の書籍版をお勧めしたい。

１９８０年に放映された『ＣＯＳＭＯＳ』だが、もしもあの番組が当時最新だった宇宙理論や、ボイジャーによって撮影された惑星の姿を伝えるだけのものだったならば、21世紀を10年も過ぎた今になって、あえて手に取る価値はなかっただろう。『ＣＯＳＭＯＳ』を通して、セーガンは科学が呪術や宗教だった時代から連綿と続く人類の宇宙との関係を描き、核戦争の恐怖に怯えていた私たちへ「滅び」が運命でないことを証明するためのアプローチまで紹介してくれている。

没後20年が過ぎようとしているセーガンだが、科学の言葉が人に届きにくくなっている現在、彼のアプローチには学ぶところが多くあるはずだ。

長らく絶版だった『COSMOS』も復刊された。是非とも手に取っていただきたい。

3冊目

エレガントな宇宙
：超ひも理論がすべてを解明する
ブライアン・グリーン著　林一、林大訳
草思社、2001年刊

科学書にはジャーナリストの手による良書も多いが、本職の科学者が自らの専門分野について語る科学書には、また違った凄みがある。その一つとしてお勧めしたいのがブライアン・グリーンの『エレガントな宇宙』だ。

一般の読者に向けて超ひも理論を紹介するには、ニュートンの物理学と相対性理論、そして量子力学を解説する必要があるのだが「超ひも理論解説書」の中には相対性理論と量子力学を紹介するだけで三分の二を費やしてしまい、本体の超ひも理論についてはこんな考え方もあるという程度で終わってしまうような書籍も多い。

本書では手足のように相対性理論と量子力学を扱える著者が書籍の三分の一ほどで二つの理論をひもといてみせるので、本論である超ひも理論をたっぷりと味わえる。図版も美しく、そして理論を説明するためにやってみせるオリジナルの思考実験が素晴らしい。

SF小説の舞台やガジェット、そして新奇な科学理論を作り上げるときに、本職の科学者がやってみせてくれる思考実験ほど役立つものはない。もちろん、創作のためだけに使うのはもったいない。本書は超ひも理論の最高の入門書でもある。これで最新の宇宙論に興味を持ったならグリーンの続刊『宇宙を織りなすもの』と『隠されていた宇宙』へと進んでみよう。

ふじい・たいよう
1971年生まれ。2012年に自己出版した電子書籍『Gene Mapper』がAmazonのKindleストア「ベストオブ・2012」で小説・文芸部門1位にランクイン、翌2013年の商業デビュー作『Gene Mapper -full build-』と2014年2月に刊行された『オービタル・クラウド』が2年連続で日本SF大賞にノミネートされる。日本SF作家クラブ会員。

23

ロボットは感情を持てるのか？

選者……西垣 通（東京大学名誉教授）

1冊目

コンピュータと認知を理解する

：人工知能の限界と新しい設計理念

テリー・ウィノグラード、フェルナンド・フローレス著　平賀讓訳

産業図書、1989年刊

日本人はロボットが大好きである。産業用ロボットの日本の技術水準は世界最高だし、工学部の学生にも人気があり、ロボット研究者の数は欧米と比べてとても多い。家庭向け用途もお掃除ロボットだけではない。高齢化が進むいま、老人介護の担い手が社会問題となっているが、介護用ロボット開発は大いに期待される成長分野なのだ。

とはいえ、しばらく前に高齢者の仲間入りをした私がもし、ロボットに世話をしてもらいたいかと尋ねられたら、ウーンと考えこんでしまうだろう。自動機械だから気を遣わなくて済むのは助かるが、介護で一番肝心なのはコミュニケーションであり、相互の心の通じ合いである。冷たい機械的処理の対象になるのはゴメンだ。だいたいロボットという機械に、生きた人間の気持ちが本当に分かることなんて、あり得ないのでは……。

興味深いことに、大半の日本人はこういった悩みとは無縁なようだ。鉄腕アトムだのドラえもんだのが、さんざんバラ色の夢をふりまいたせいかもしれない。――「最近はプロをしのぐ腕前の将棋ロボットも現れたし、２０２０年の東京オリンピックまでには各国の言葉を自動翻訳してくれる機械もできるそうだ。これほどコンピュータの能力が猛スピードで進歩していくなら、臨機応変、かゆいところに手のとどく介護ロボットもそのうち出てくるに決まってる。そう言えば、どこかのメーカーから「感情を持つロボット」も売り出されてるじゃないか」というわけである。

だが、これだけは言っておこう。「感情を持つ」というふれこみのロボット「ペッパー君」は、人間の感情どころか、イヌやネコのような感情もまったく持ってはいない。単なる巧妙なカラクリ人形である。カラクリ人形は楽しいし、それで遊ぶのは大いに結構。けれど残念ながら、ペッパー君は人間の気持ちを「理解」してコミュニケートしているわけではは絶対にないのだ。ペッパー君の前には、人工知能研究者が何十年も悪戦苦闘してきた分厚い壁が高く立ちはだかっている。現時点で、その壁はまだ突破されていない。

現時点では無理だとしても、将来はどうだろうか。機械（コンピュータ）は原理的に感情を持てないと断定するなら、人工知能研究者から猛烈に反論されるはずだ。少なくとも、コンピュータが人間のような思考活動をおこない、人間とコミュニケーションを実行することこそ、人工知能研究の目的なのだから。確かにコンピュータの電子回路は人間の脳神経系とは随分違っている。だが抽象化すれば、両者のメカニズムは大して異なるわけでもない。生命体と機械の本質的な異同を論じるのは、まことに難問なのである。

さて、この難問に対して、真っ向から答えたのが本書に他ならない。著者の一人、ウィノグラードは、ちょうど私が米国留学していた1980年代初め、世界的に知られた人工知能研究のエースだった。専門はとくにコンピュータによる自然言語処理である。具体的問題は、コンピュータははたして環境世界を「理解」できるのか、そしてその理解にもとづいて、人間と英語でどこまで対話できるか、ということである。ウィノグラードが開発したSHRDLUというシステムは、コンピュータに駆動されるロボットがディスプレイ画面の中で積み木を操作するものだったが、画期的な成功をおさめた。たとえば、緑の立方体の入った箱の隣に黄色と赤のピラミッドがあるとしよう。人間が「ピラミッドを持ち上げて箱にいれて」というと、ロボットは「黄色と赤の二つのピラミッドのうちどちら?」と尋ね返してくる。「黄色のほう」と人間が指示すると、ちゃんと黄色のピラミッドを箱にいれる。そして人間が「今、箱のなかに入っているのは何?」と尋ねると、ロボットは「緑の立方体と黄色のピラミッド」と正しく答える、といったわけだ。

このようにコンピュータは積み木の世界を理解し、人間とコミュニケートできる。しかし、これは積み木の世界が静的で変化のない、狭い世界だからである。われわれの住む日常的な環境世界はもっと広く、状況はつねに忙しく変動している。たとえば街でハンバーガーを買ってくるといったありふれた行為は、子供でもできるだろうが、ロボットには難しい。詳しく指示しても、ハンバーガー店への道は工事で通行止めかもしれないし、お目当ての製品が売り切れのこともある。子供は適当に判断して対処するが、ロボットはすべての場合を予測しないと行動できないのである。

徹底的に悩んだあげく、ついにウィノグラードは否定的な結論にたどりついた。つまり、コンピュータには、変動する環境世界を「理解」することなど不可能だ、というのである。喜怒哀楽の感情とはあくまで、環境世界の理解にもとづいて適切に行動するためのものだから、ロボットに感情など存在しない。英語や日本語など自然言語を処理するコンピュータの役割はむしろ、人間同士がおこなう会話がスムーズに運ぶように支援することにある。そういう会話支援システムを、ウィノグラードは「コーディネータ」と名づけた。

この結論をみちびくための本書の議論はスリリングなものである。まず、人工知能研究がもとづく合理主義的な前提を示す。その前提によれば、客観的に存在する環境世界の状況が、一群の対象とその属性についての表象（記号）によって記述されている。さらに、それら表象のあいだに成り立つルールにもとづき、形式的な推論が実行できる。これこそ、人間のおこなういわゆる「思考」だということになる。

合理主義的な前提はいかにも科学的でもっともらしい。だが実は、われわれ人間はまったく異なるやり方で「思考」し行動していることを、ウィノグラードはおもに二つの異分野理論にもとづいて力説するのだ。第一は、ハイデッガーの実存哲学である。その哲学によれば、人間はもともと環境世界の内部に投げ込まれて生活している。だから、対象やその属性を外部から客観的に把握し表象することなどできない。たまたま対象が出現するのは、何かしら不具合（ブレイクダウン）が発生し、対象を意識せざるをえなくなった場合だけだ。難解な哲学ではあるが、この議論自体には誰しも納得するだろう。

第二の理論は、ロボットの限界をより明確に語るものだ。それは、生物学者ウンベルト・マトゥラーナとその弟子フランシスコ・ヴァレラによるオートポイエーシス（自己創出）理論である。これは生物の神経システムが、外部の物理的な環境世界のありさまを直接写像するのではなく、生体内部の独自体験にもとづくメカニズムによって生存維持のために反応し、歴史的に生成されていくと論じる。その意味で生物の認知システムは「閉じて」おり、ゆえに対象の表象など不可能なのだ。人間の認知機構が閉じているとは、常識に反しているようだが、自分の心をよく顧みれば、その正当性を認めざるをえない。誰もが世の中を自分なりに、勝手に解釈しているではないか。

こうして、本書は人工知能を根底から批判した。実際、特殊目的の人工知能技術は実用化されたものの、１９８０年代の思考機械ブームはあえなく去った。しかし、その後をふりかえると、本書の警告が人々に深く受け止められたとはとても言いがたい。最近、インターネットの発達にともなって、大量のデータにもとづく汎用人工知能研究がふたたび勢いを取り戻しつつあるのはその証拠だ。「コーディネータは大して売れなかったし、ウィノグラードなんて過去の人だろ」ということか。だが、いかに統計手法を駆使してビッグデータを活用しようと、本書のラディカルな批判を克服しないかぎり、挫折は目に見えている。最新技術に酔って、先達の思索を無駄にしてはいけない。

最後に付け加えておこう。本書との出会いは、私の半生に決定的影響をあたえた。本書が書かれた１９８０年代半ば、私はコンピュータ工学分野から、情報やコミュニケーション自体を基礎から問い直す分野の研究者に転身したのである。そして、オートポイエーシス理論にもとづく「基礎情報学」という新分野の構築にのめり込むことになったのだ。

2冊目

身体化された心

：仏教思想からのエナクティブ・アプローチ

フランシスコ・ヴァレラ、エヴァン・トンプソン、エレノア・ロッシュ著　田中靖夫訳

工作舎、２００１年刊

感情は「心」から生まれる、というのが常識だ。「心ない人」というのは、感情面が貧しく冷たい人のことである。だが「心とは何か」と問われると、そう簡単には答えられない。本書はこの難問に正面から挑み、オートポイエーシス理論の創始者の一人である生物学者ヴァレラが、「自分のテキストの中で最重要なもの」と位置づけた名著である。

心（精神的存在）と身体（物理的存在）との分離は、デカルト以来の伝統だ。近年の人工知能技術にもとづく認知科学は、心をコンピュータのような記号処理機械と見なすことで、この分離を解消しようとした。だがヴァレラは、このアプローチに敢然と異をとなえる。本書で主張されるのは、認知とは「所与の心による所与の世界の表象」ではなく、むしろ生命体がその行為の歴史にもとづいて「世界と心を行為から産出すること」だという有名なテーゼなのである。つまり客観的世界があらかじめ存在していて、そのありさまを心が内部に写像するという通念は正しくない。人間を含めあらゆる生物は、身体による行為を通じて世界を創り出す。そのプロセスこそが「心」と呼ばれる存在に他ならないのである。怒ったり泣いたり怯えたりといった感情的反応も、もちろんその一部。だから感情とは身体を持つ生物だけが持つもの、ということになる。さらにヴァレラは持論を仏教思想と結びつけていくのだが、その魅惑的な展開のディテールは読者のためにあえて伏せておこう。

3冊目

ロボットは友だちになれるか
：日本人と機械のふしぎな関係
フレデリック・カプラン著　西垣通監修・西兼志訳
ＮＴＴ出版、２０１１年刊

欧米人の目には、日本人のロボット愛好熱はまことに奇異に映るようだ。数年前、某大学で、遠隔操作のロボットが実験開発された。その特徴は、研究室の院生など、特定の人物そっくりの外見をしている点である。この凝ったアヤツリ人形は大評判となったが、海外の友人によれば「日本人はやたらに賞賛するけど、僕らは気持ち悪いから注目しただけだよ」とのこと。つまりロボットとは、欧米人には禍々（まがまが）しい存在、人間に刃向かう恐れのあるフランケンシュタインのような存在なのだ。だから、ロボット犬ＡＩＢＯのような娯楽用ロボットが人気を集めるのは、日本特有の文化現象だということになる。

本書は、いったいなぜ日本で娯楽ロボットが受け入れられるのかを、技術と文化の両面から照らし出していく。著者カプランは１９９０年代、パリにあるソニーの研究所でＡＩＢＯの開発に関わり、その後も人工知能研究に従事している専門家である。日本文化にもなかなか造詣が深い。ユダヤ＝キリスト教と違いアニミズムの伝統をもつ日本では、自然と人工がいわば「玄妙な織物」のように連続し、そういう精神態度がロボットへの親近感につながると論じる。フーン、なるほど。だが反面、そういう曖昧な態度が、生命と機械を分かつ境界線への洞察を弱め、人間社会の機械化を進める面もあるのではないか。機械が人間に近づくのは難しいが、人間が機械に近づくのは容易(たやす)いのである。

にしがき・とおる
1948年生まれ。東京大学工学部計数工学科卒。工学博士（東京大学）。日立製作所主任研究員、スタンフォード大学客員研究員、明治大学教授、東京大学大学院情報学環教授、東京経済大学コミュニケーション学部教授を歴任。東京大学名誉教授。専門は情報学、メディア論。著書に『基礎情報学（正・続・新）』（NTT出版）、『集合知とは何か』（中公新書）、『ネット社会の「正義」とは何か』（角川選書）など多数。

送り手に聞く④

理工書書店員の作庭記

送り手……小引 聡（ジュンク堂書店池袋本店理工書・コンピュータ書・医学書担当）

地球博物学大図鑑
スミソニアン協会監修、
デイヴィッド・バーニー編　東京書籍

理工書の近年のトレンドを、どのように捉えていますか？

科学やテクノロジーの発展が産業を生み、ビジネスになっていきます。宇宙、エネルギー、ライフサイエンス、人工知能などが主な分野です。海外は日本に比べて研究開発の予算が潤沢なケースもあり、研究成果を伝える書籍も最先端を扱った魅力的なものが多いです。例えば遺伝学の教授が老化のメカニズムを解き明かした『ＬＩＦＥ　ＳＰＡＮ：老いなき世界』やスティーヴン・ホーキング博士の『ビッグ・クエスチョン：〈人類の難問〉に答えよう』をはじめとした翻訳書が売れ筋として目立っているのが現状です。お金になる分野ですから、読者は文系・理系を選びませんし、個人の関心を超えてビジネス書としても読まれる傾向が強まっているようです。

一方で日本国内ではSNSの発達から、数学入試問題の解説動画が人気で『中学の知識でオイラーの公式がわかる』を書かれた鈴木貫太郎さん、『予備校のノリで学ぶ大学数学』などの著作で知られるヨビノリたくみさんなど、YouTuberによる書籍がかなり増えました。動画で支持を得ているコンテンツをあえて本にして需要が見込めるのか、という懸念も当初はあったかもしれませんが特に若い世代、ふだん本を読まない人にも響いているようです。

理工書売り場をつくる際、心掛けているのはどんなことでしょう。

私自身は二〇〇一年に新卒で入社し、現在二一年目になります。最初の半年で文庫売り場を経験した後、福岡では医学書を担当、名古屋に異動した際に理工書とコンピュータ書も兼任し、現在の池袋本店では理工書担当という経歴です。

理工書は仕事や研究で使う実務書、試験や学校で使うテキストや、趣味嗜好、知的好奇心を満たすものなど様々です。季節ごとの需要を把握し必要な書籍を欠かさない、あるべき場所に並べるといった基本が大事になります。若い頃に教わったのは、何はともあれ基本書が大事ということ。それぞれの分野に定番書、古典的な名著があり、それらがきちんと揃っていることは不可欠です。定番書があることで棚のクオリティが上がり、それがお客様の安心や信頼に繋がります。そのジャンルとして脈々と読み継がれている本で、例えば『統計学入門（基礎統計学Ⅰ）』『一般気象学 第2版補訂版』などにあたります。また専門書は購入対象者がある程度限定されているため、少部数発行となり仕入れ条件も一般書とは異なります。高品質印刷や頻回使用に耐える丈夫な製本などの理由により高定価なものもあります。一冊一冊をどう仕入れ、売っていくか、そのリスクマネジメントも重要になります。

また日々の情報収集も欠かせません。出版社やお客様、ニュースや書評のチェックはもちろん、「Amazon ほしい物ランキング」にランクインすればその理由を探って仕入れを強化したり、「HONZ」「ALL REVIEWS」など書き手の顔の見える書評サイトを参考にしたりします。

さらに池袋本店は多層階のため周遊性ではワンフロアの店に劣ります。ワンフロアであれば、例えば雑誌を眺め、文庫の新刊平台を通り、好みのジャンルの棚に向かうような流れがありますが、多層階の場合は目的のフロアに直行しそのままレジへ、というケースも多くなります。蔵書数は多く同じジャンル内の充実度はかなり高い一方、枝葉のように興味が広がるはずの他ジャンルに分類された本とは出会いにくいのがデメリットと言えるでしょう。そのため新書や文庫、コミックや児童書など他フロアの本でも関連性があれば積極的に近くに並べるようにしています。

理工書売り場のプロになる道のりを教えてください。

私は学生時代に文系だったこともあり、福岡でいきなり医学書を任された当初は途方に暮れました。新規出店のため同ジャンルの先輩もおらず、棚を維持しながら勉強の毎日でした。近隣の大型店や医学書専門店の神陵文庫さんを訪ねて参考にしました。理系の学問を修めていれば、ある程度それを取っ掛かりにできたかもしれません。でも逆にフラットな目線で見られたこと、専門書出版社の傾向を一から勉強できたことや、お客様や出版社の方から教えていただくという姿勢を持つことができました。専門書売り場にいらっしゃるお客様はその分野のプロですので「置いている場所が違うんじゃない?」「この本とこの本は一緒がいいのでは」などと教えていただいたり、出版社の方に売れ筋や販売時期を教えていただいたり、お客様や出版社と協力して棚を作り上げてきた自覚があります。直接のやり取りはなくとも、売上はもちろん棚をご覧になるお客様の様子や棚に残るご覧になった痕跡なども、棚を通したお客様との会話と言えます。

書店の棚に収められている本は、お客様のお買い上げで減ったり、注文しても品切れで仕入れられなかったり、売上が悪くて返品したり、出版社から日々新刊が来たりと常に変化しています。こちらではコントロールできない部分もあり、その中でベストを模索する、楽しむ、ということをしています。喩（たと）えるなら庭の手入れのようなものかもしれません。

「庭」の維持の秘訣はなんでしょうか。

今あるものや限られた条件の中でより良いものを追求することでしょうか。庭の広さは棚や売り場の広さ、本は植物や石、その他の配置物、見学者はお客様、オーナーは上司や店長といえます。植物や石、庭の知識が必要なことはもちろん、剪定（せんてい）の技術やセンス、季節に合わせた展開も必要でしょう。その土地の風土も考えなければなりません。見学者やオーナーの求めているものを摑んで表現する必要もあるでしょう。刈り込みすぎや配置するものが少なければ風情がなくなるでしょうし、雑多であれば荒れた印象を与えかねません。オーナーの提示する予算や期間内に仕上げることも求められます。日々の作業目標も低ければなかなか上達しませんし、高すぎても自己肯定感が得られずモチベーションが低下してしまいます。常に最高の庭を追い求めながら決して満足することはないのかもしれません。

理工書ならではのフェアの特徴は？

必要な本を求めて、という目的買いとは別に、思いがけない出会いを期待して来店される方も少なくありません。現在は近隣のサンシャイン水族館とコラボしたフェアを行っていますし、その後は日本橋にあるギャラリーキッチンＫＩＷＩにて、「大人の科学バー」「スヌ子お料理レッスン」などを主宰している編集プロダクション「キウイラボ」とコラボした「系統樹曼荼羅」のフェアを予定しています。モノと本を並べる、というのは視覚的にも華やかでわかりやすく、期間限定で販売するグッズが好評です。また様々なお客様の興味を引くように、硬軟織り交ぜたラインナップとなるよう選んでいます。この場合の「硬」は難易度の高いもの、「軟」はグッズや小説、コミックや児童書がそれに当たります。

また理工書と言うより池袋本店の特徴となりますが、フェアスペースはエスカレーターの下り口にあり、その上のフロアには児童書や学習参考書があります。お子様や家族連れ、学生がエスカレーターを下ってくる途中で目にしてつい立ち寄ってしまうような展開を心掛けています。

お勧めの本があれば教えてください。

　これまで扱ってきた中で印象に残っている本をご紹介します。『地球博物学大図鑑』です。スミソニアン国立自然史博物館の開館１００周年の記念で出版された図鑑で、鉱物や化石、微生物、動物まで数千種を、近年の遺伝子解析の成果を反映して分類体系をまとめなおした労作です。パラパラめくって好きなところから読み始めて、興味の湧く分野に出会ったらより詳しい他の図鑑や本へと派生させられます。自分へのご褒美やプレゼントにも最適ですし、インテリアとしても素敵です。

　最後になりますが、本屋にしかない出会いがきっとあります。電子書店とは異なり、一度に視界に入る物量も多く思わぬ発見もあるでしょう。棚を行き来できるリアルな書店ならではの魅力を楽しんで欲しいと思います。

案内人の名著

本書で自身の研究分野と
その手引き書をナビゲートしてくれた科学者たちの
著書を紹介します。

1…… 多田将

すごい宇宙講義
中公文庫　2020年刊

ブラックホール、ビッグバン、暗黒物質……人類はいかに宇宙を知ろうとしてきたか、基礎となる理論から最新の実験・観測の方法まで、素粒子物理学者が100を超えるスライドと共に語った一般公開講座の完全版。

2…… 福井康雄

宇宙史を物理学で読み解く：素粒子から物質・生命まで
福井康雄監修、名古屋大学出版会、2010年刊

ビッグバン、ダークエネルギーによって膨張する宇宙、星や銀河の形成から私たち生命の誕生まで、137億年の宇宙史を最新の研究成果に基づき平易に語る。物理学の細領域を越えて宇宙と物質の起源の解読を目指した書。

3……赤木昭夫

科学と技術の歴史

道家達将との共著　放送大学教育振興会、1999年刊

古代から現代まで15のケースで科学と技術の歴史を辿る。科学や技術の成果だけに注目するのではなく、それらがいかに生み出されたかという試行錯誤の過程（内史）と背景（外史）の両面から、科学と技術の本質に迫る。

4……大内正己

宇宙の果てはどうなっているのか？：謎の古代天体「ヒミコ」に挑む　宝島社、2014年刊

2007年、日本の天文学者が130億光年もの彼方に謎の巨大天体を発見、古代日本の女王・卑弥呼にちなみ「ヒミコ」と名づけた。発見の経緯から明らかになった全貌までを発見者自身が綴る、観測天文学の最先端の書。

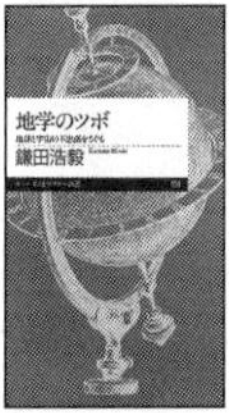

5……鎌田浩毅

地学のツボ：地球と宇宙の不思議をさぐる

ちくまプリマー新書、2009年刊

地震、火山など災害から身を守るには？　地球や生命、宇宙の起源に迫る「私たちとは何か」。この星で生きる上で特に重要なテーマに絞り、多数の図版や写真を交えわかりやすく解説する。地学の学び直しにも最適な一冊。

6……大河内直彦

チェンジング・ブルー：気候変動の謎に迫る

岩波現代文庫、2015年刊

地球温暖化の根源にある気候変動の謎。政治・経済の話題に置き換えられがちな地球環境の問題を、科学的な側面から平易に綴る。地球科学の発展の歴史のなかで活写された、謎の解明に挑む科学者たちの姿もまぶしい。

7…… 長沼毅

死なないやつら：極限から考える「生命とは何か」

講談社ブルーバックス、2013年刊

超高温、強重力、強放射線……過酷な環境をものともしない驚異の能力をもつ極限生物たちを通して「生命とは何か？」という問いの意味自体を考えながら、不安定なはずなのに40億年も地球にはびこる生命の本質に迫る書。

8…… 山口創

手の治癒力

草思社、2012年刊

痛み、疲労、不安、PTSD、孤独感……現代人の心身の不調は脳の使い過ぎと身体感覚の希薄さにあり、それは「手」で癒せると説く。医療の原点「手当て」の驚くべき有効性を脳科学や心理学の知見とともに明らかにする。

9…… 本川達雄

ゾウの時間 ネズミの時間

中公新書、1992年刊

一生の間に心臓が打つ脈拍の総数や体重あたりの総エネルギー使用量は、生きもののサイズによらず同じ——。サイズの発想によって動物のデザインを発見し、その動物のよって立つ論理をわかりやすく教えてくれる生物学入門書。

10…… 武村政春

レプリカ：文化と進化の複製博物館

工作舎、2012年刊

iPS細胞やゲノム解読などが身近な話題になるなか、気鋭の分子生物学者が自身のテーマ、DNAの複製をふまえてコピーとオリジナルの関係や自己存在について思索を重ねた画期的複製論。注釈も丁寧でわかりやすい。

11……三中信宏

系統樹曼荼羅：チェイン・ツリー・ネットワーク

杉山久仁彦との共著　NTT出版、2012年刊

「分類」は人間の根源的な認知行為であり、歴史を通じて人間は分類し、系統樹などの図像表現を用いてきた。本書は科学と芸術のはざまにある多様な図版を集め、その意味を問う。生物学者とデザイナーが作り上げた大人の図鑑。

12……小松貴

裏山の奇人：野にたゆたう博物学

東海大学出版部、2014年刊

わからないことを、わかりたい。天性のナチュラリストあるいは生き物に魅せられた怪しい男が近所の裏山から地球の裏側までを徘徊し、さまざまな生き物の生態を綴った。その観察力、洞察力に驚かされること間違い無し。

13……森皆ねじ子

ねじ子のぐっとくる体のみかた

医学書院、2013年刊

頭から足の先まで、体全体をみるために必要なテクニックを医者兼マンガ家のねじ子先生が、「ぐっとくる」コメントとイラストで紹介。医学生や医療従事者だけでなく、自分の体に不思議さを抱く人なら誰でもぐっとくる。

14……岡ノ谷一夫

「つながり」の進化生物学

朝日出版社、2013年刊

「心やコミュニケーションのことは、高校生に伝わらないような言葉で語ってはいけない」と綴るように、言語や心、情動などの起源とコミュニケーションとの関わりを、平易に、かつ生き生きと読み解いた楽しい一冊。

15…… 南伸坊

生物学個人授業

岡田節人との共著　河出文庫、2014 年刊

「恐竜は生き返るの？」「DNA って？」「プラナリアの寿命は千年？」……。生物学の大家・岡田先生と「知りたいことは何でも聞くゾ」と好奇心全開の生徒・シンボーさんが、奔放かつ自由に、生物の謎の奥深くまで迫る。

16…… 岡田美智男

弱いロボット

医学書院、2012 年刊

ゴミは見つけるけれど拾えない、雑談はできても何を言っているかわからない――。「弱い」ロボットを作ることを通して、日常の生活動作を規定する「賭けと受け」の関係を明るみに出し、ケアをすることの意味を考える。

17…… 吉成真由美

やわらかな脳のつくり方

新潮選書、2002 年刊

「頭のいい子を育てるには体に触れる」「寝る子は育つ」「IQ が高い＝天才とは限らない」など脳科学の立場から専門的な知識を生かし、本当の賢さとそれを得る秘訣を伝授。日本の社会や教育問題にも明快な答を提示する。

18…… 鈴木晃仁

分別される生命：二〇世紀社会の医療戦略

川越修との共編著　法政大学出版局、2008 年刊

病人を健康な人から分別する、20 世紀初頭から始まった、病気という“生命リスク”を回避する医療戦略がどのようになされてきたかを、日欧比較のもとに検証。高齢者の生をめぐる新たな問題の発生、展開も浮き彫りにする。

19 …… 榎木英介

嘘と絶望の生命科学
文春新書、2014年刊

STAP細胞騒動をはじめ、生命科学分野での度重なる研究不正やそれが起きる背景を、かつて生命研究の一端に身を置いた病理医があらゆる角度から徹底検証した。バイオの未来を取り戻す提言が盛り込まれた書。

20 …… 矢野和男

データの見えざる手：ウエアラブルセンサが明かす人間・組織・社会の法則　草思社文庫、2018年刊

ウエアラブルセンサで得たビッグデータを研究する第一人者が、その最前線を語る。時間の使い方、組織運営や経済現象、人間自身の能力や、人と社会に関する認識を根底から覆す。科学的新事実と未来への示唆に富んだ書。

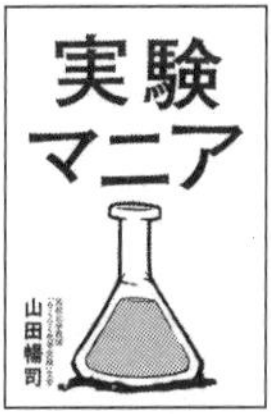

21 …… 山田暢司

実験マニア
亜紀書房、2013年刊

廃油からキャンドルを作る“油固ブラー！”、人工的に魚卵を作る“イクラ何でも！”、星形の結晶を作る“星に願いを！”などユーモアに富んだ30の化学実験を紹介。身近な材料で簡単にできて、子どもも大人も楽しめる。

22 …… 藤井太洋

Gene Mapper — full build —
ハヤカワ文庫JA、2013年刊

舞台は遺伝子の設計技術が発達した近未来の世界。主人公は自らが遺伝子設計した稲が遺伝子崩壊の可能性があると連絡を受ける——電子書籍の個人出版がベストセラーとなった話題作の増補改稿完全版。

23…… 西垣通

生命と機械をつなぐ知：基礎情報学入門
高陵社書店、2012年刊

「情報とは何か」「情報は本当に伝わるのか」……。いま注目される新しい情報の知「基礎情報学」の平易な入門書。高校の情報教育を念頭に置いて書かれており、難解と言われる基礎情報学のエッセンスが効率的に体得できる。

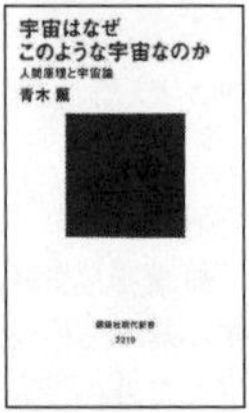

24…… 青木薫

宇宙はなぜこのような宇宙なのか：人間原理と宇宙論
講談社現代新書、2013年刊

激変し続ける宇宙像を人類の知的格闘の歴史から読み解く。筆者は終章で「宗教的真理とは異なり、科学的知識は永遠に白黒確定することはないのかもしれない」ゆえに「科学的知識は深まり、広がるのではないか」と綴る。

25…… 矢野創

星のかけらを採りにいく：宇宙塵と小惑星探査
岩波ジュニア新書、2012年刊

私たちに毎日降りそそぐ「星のかけら」には、太陽系や生命の誕生の謎を解明する鍵が隠されている。小惑星イトカワのサンプル採取・分析を担当した著者が、惑星探査の将来と未知のフロンティアへの挑戦について語る。

26…… 高井研

微生物ハンター、深海を行く
イースト・プレス、2013年刊

21歳の学生（著者）が「青春を深海に捧げよう！」と誓い、生命の起源に肉薄する科学者になるまでを綴ったノンフィクション。熱のこもった筆致を通して科学者という人間自体の魅力、研究の醍醐味がひしひしと伝わる。

おわりに

さらなるサイエンス／ブックのほうへ

いかがだったでしょうか。おわりに複数の本を並べることの意味について少しお話ししてみたいと思います。

本と知識の網をたどる

これはサイエンスに限りませんが、本や知識というものは喩えるなら網、ネットワークのようにつながりあっているものです。ある知識はぽつんと孤立しているのではなく、これまで人類の歴史を通じて積み重ねられてきたさまざまな知識に支えられています。例えばこれはごく大まかな話ですが、数学の計算や方程式の扱いを理解していると、それを使って確率や統計を計算できる。そうした確率や統計を使うと生命現象や物理現象をモデル化して把握でき、そのモデルを応用してソフトウエアをつくって技術として実用できる、というように。

また知識を伝えるために書かれた本が、数百の本や論文に支えられてできていることも稀ではありません。本の参考文献一覧や索引などは、知識のつながりが目に見えるかたちで示されたものです。本文中でも「この点についてはこれこれを参照」と、ウェブのハイパーリンクのように他の文献を紹介することがありますね。

他方には直には見えないつながりもあります。人はそれぞれ頭のなかに、それまで読んだり触れたりした本を入れた「記憶の図書館」のようなものを持っています。といっても読んだ本を丸ごと覚えているわけではなくて、「たしかあの本にはこんなことが書いてあったな」とか「この件ならあの論文が参考になるはず」というように、だいたい何が書いてあったかとか、何についての本かを自分なりに把握しているわけです。

そうした「記憶の図書館」の書棚に並ぶ本は、外からは見えませんが、その人の知識や関心やものの見方を形づくる重要な材料であり、これもまた一種の知識の網を成していると言えます。例えば本書で紹介している本もまた、それぞれの執筆者の記憶の図書館から選ばれたとっておきのものです。

いま述べたことを今度は別の角度から見てみましょう。どんな研究でも一冊の本や論文で完結することはありません。面白いことにどの分野でも、読めば読むほど知識や理解も深まる代わりに、読めば読むほど謎も増えていきます。宇宙論や動物の心理、神経科学など、どの領域でもよいのですが、そんなふうにして知識の網を自分の頭に入れていくと、ついには人類がまだ解決していない未知に遭遇したりもします。それは言うなれば、人類がつくってきた知の網の果て、この先はまだ不明という前人未踏の領域です。この点については、マーカス・デュ・ソートイの『知の果てへの旅』（冨永星訳、新潮クレスト・ブックス、新潮社、二〇一八）をぜひご覧あれ。

サイエンスに関する本を読む楽しみには、こんなふうにして既存の知識の網のリンクからリンクへと辿る楽しみとともに、その網に捉えられていない謎に触れる楽しみがあります。この小さな本は、そうしたサイエンスの面白さ、自然や技術をめぐる謎の魅力へとみなさんを誘うものでもありました。

だからもし本書を読んでみて「この本、気になるなあ」とか「なんだか知りたいことが増えたぞ」となってくださったらこんなに嬉しいことはありません。できたらぜひ、ここに登場する本や、書店や図書館でそれらの本と一緒に並ぶ「よき隣人たち」（©アビ・ヴァールブルク）を手にとってみてください。美術史家のヴァールブルクは、複数の本を並べることが知の創造の手がかりになると考えて、それを「よき隣人の法則」と名づけました。その顰みに倣って、「この本の隣にどんな本が並ぶとよいだろう」と考えたり、どこかの書棚を見るときになにが並んでいるかを眺めてみたりするわけです。

　そのような意味で本書は、各分野の目利きが精選した本を並べて、みなさんを科学の知のネットワークへと誘うサイエンス・ブックショップのカタログのようなものでもあります。それぞれのページに、そこには登場しない他の本をさらに並べたりして、「よき隣人」を増やしてみてもよいですね。そんなふうにして、この本が、あなたの書棚や「記憶の図書館」をいっそう楽しくするための手がかりになればと思います。

この本の成り立ちについて

　最後にこの本の成り立ちについて記します。本書は、二〇一五年三月に『サイエンス・ブック・トラベル：世界を見晴らす一〇〇冊』として河出書房新社から刊行された本をもとに加筆修正を施し、改題した文庫版です。同書は、河出書房新社の編集者・高野麻結子さんの発案によって作られました。私は導入とコラムを二つ書き、全体の監修のような立場で参加しました。

　単行本では『サイエンス・ブック・トラベル』という書名の通り、本を通じてサイエンスの世界を旅してみようという趣旨のブックガイドでした。文庫化にあたっては、書名を改めるとともに、元の本の序文「ご出発の前に」を削除して、代わりに「はじめに：本を通じたサイエンスの楽しみ」という文章を書き下ろしました。いまお読みの文章も文庫版のために書かれたものです。

さて、これは本書を手にされた方にはご関心があるかもしれないのでお伝えすると、この本には姉妹というにはちょっと遠い、いとこのような雑誌があります。かつて新潮社から発行されていた雑誌『考える人』で「日本の科学者100人100冊」という特集が組まれたことがありました（二〇〇九年夏号）。内容は特集名の通りで、日本の科学者から一〇〇人を選び、それぞれの科学者の著作を一冊ずつ紹介する、というものです。私はその特集で企画全体の編集（人物や本、執筆者の選定）と執筆に携わりました。

高野さんは、この特集号を読んで『サイエンス・ブック・トラベル』の編者にと私を誘ってくれたのでした。打ち合わせの席に高野さんが持参した『考える人』が、繰り返しページを開き、読み込まれた（しあわせな）雑誌に特有のくたりとした感じだったのをよく覚えています。そもそも高野さんの発案・構想がなければ、この本がこんなふうに文庫としてみなさんと出会うこともなかったという意味で、高野さんは本書の生みの親であることを記しておきたいと思います。

元の本『サイエンス・ブック・トラベル』では、矢部綾子さん（kidd）にデザインを、前田ひさえさんにイラストを担当してもらいました。手にも気持ちよく、遊び心に溢れた装幀ですので、機会があったらお手にとってみてください。今回の文庫版では、デザインは渋井史生さん、イラストはいしいひろゆきさんにお世話になりました。編集は高野さんです。また、本書に執筆やインタヴューで参加してくださった著者のみなさんに感謝申しあげます。

以上のことは、本もまたサイエンスの営みと同じように、たくさんの人たちの協力でできていることをお伝えしたいと思ってここに記す次第です。著者が一人のときは小さめのバンドという感じですが、今回はそういう意味ではビッグバンド、あるいはオーケストラのようですね。

そしてもちろんこの本を手にとって読んでくださったあなたに心から感謝します。本書から、さまざまなサイエンスブック、あるいはサイエンスの世界への興味が広がり、楽しんでいただけたら幸いです。機会があったら、またどこかでお目にかかりましょう。ご機嫌よう。

二〇二一年八月

山本貴光

本書は二〇一五年三月に小社より刊行された
『サイエンス・ブック・トラベル：世界を見晴らす一〇〇冊』
に加筆修正、改題をして文庫化しました。
文中のデータは単行本刊行時のものです。
寄稿者の略歴、および書誌情報は二〇二一年八月のものです。

世界を読み解く科学本
科学者25人の100冊

二〇二二年一一月一〇日　初版印刷
二〇二二年一一月二〇日　初版発行

編　者　山本貴光
発行者　小野寺優
発行所　株式会社河出書房新社
〒一五一－〇〇五一
東京都渋谷区千駄ヶ谷二－三二－二
電話〇三－三四〇四－八六一一（編集）
〇三－三四〇四－一二〇一（営業）
https://www.kawade.co.jp/

ロゴ・表紙デザイン　粟津潔
本文フォーマット　佐々木暁
印刷・製本　中央精版印刷株式会社

Printed in Japan　ISBN978-4-309-41852-0

人間の測りまちがい　上・下　差別の科学史

S・J・グールド　鈴木善次／森脇靖子〔訳〕　46305-6 46306-3

人種、階級、性別などによる社会的差別を自然の反映とみなす「生物学的決定論」の論拠を、歴史的展望をふまえつつ全面的に批判したグールド渾身の力作。

生命科学者たちのむこうみずな日常と華麗なる研究

仲野徹　41698-4

日本で最もおもろい生命科学者が、歴史にきらめく成果をあげた研究者を18名選りすぐり、その独創的で、若干むちゃくちゃで、でも見事な人生と研究内容を解説する。「『超二流』研究者の自叙伝」併録。

ペンギンが教えてくれた物理のはなし

渡辺佑基　41760-8

ペンギン、アザラシ、アホウドリ……計り知れない世界を生きる動物に記録機器を付ける「バイオロギング」が明かす驚きの姿とは？　第68回毎日出版文化賞受賞作。若き生物学者、圧巻のフィールドワーク！

すごい物理学講義

カルロ・ロヴェッリ　竹内薫監／栗原俊秀〔訳〕　46705-4

わたしたちは、こんな驚きの世界に生きている！　これほどわかりやすく、これほど感動的に物理のたどった道と最前線をあらわした本はなかった！最新物理のループ量子重力理論まで。

科学以前の心

中谷宇吉郎　福岡伸一〔編〕　41212-2

雪の科学者にして名随筆家・中谷宇吉郎のエッセイを生物学者・福岡伸一氏が集成。雪に日食、温泉と料理、映画や古寺名刹、原子力やコンピュータ。精密な知性とみずみずしい感性が織りなす珠玉の二十五篇。

科学を生きる

湯川秀樹　池内了〔編〕　41372-3

“物理学界の詩人”とうたわれ、平易な言葉で自然の姿から現代物理学の物質観までを詩情豊かに綴った湯川秀樹。「詩と科学」「思考とイメージ」など文人の素質にあふれた魅力を堪能できる28篇を収録。